Alimentación para deportistas

Edgar Barrionuevo

Alimentación para deportistas

Pautas nutricionales para gente activa

Amat
editorial

Amat Editorial es un sello editorial de Profit Editorial I., S.L.
Travessera de Gràcia, 18; 6° 2ª; Barcelona-08021

Diseño cubierta: XicArt

Maquetación: Eximpre SL

ISBN: 978-84-9735-890-3

Depósito legal: B-20.555-2016

Primera edición: noviembre, 2016

Impreso por: Liberdúplex

Impreso en España – *Printed in Spain*

Índice

A mi gran amigo Josep Comellas Humet

Quisiera dedicar este libro a uno de mis grandes amigos, maestros y referentes en lo personal y profesional. Hace ya más de 4 años que nos dejaste físicamente, pero quisiera que sepas que tu presencia sigue vigente. Y que tu mensaje y ayuda, pese a estar muy lejos, llega de una forma muy eficaz.

Fuiste un maestro para mí, alguien a quien admirar profundamente y a quien tener como un referente.

Conseguiste que tu vida profesional y tu vida personal brillaran de la misma manera e iluminaran el camino de mucha gente.

Seguro que estés donde estés sigues iluminando a quien te rodee.

Me siento enormemente privilegiado por haber tenido el placer de compartir contigo unos años de una preciosa amistad.

¡Va por ti!

Introducción

«Si haces deporte, puedes comer lo que quieras». ¿Cuántas veces habrás oído esa afirmación? Este es uno de los múltiples mitos, medias verdades o rumores que rodean la alimentación del deportista. Un mundo que ha sufrido una enorme tecnificación en los últimos años, lo que ha complicado aún más encontrar una dieta que permita mejorar las prestaciones sin que la salud se resienta por ello.

Y por si fuera poco, este campo está contaminado por la publicidad. Un área en la que vale todo sin pensar en las futuras consecuencias. En el campo de la nutrición deportiva pasa algo parecido al mundo del doping, y es que el marketing con sus mensajes atrayentes ofrece una información no del todo clara y correcta para persuadir al consumidor.

En esas circunstancias, tanto el deportista profesional como el *amateur* se ven expuestos a las modas sobre lo que pueden o no comer. Esto unicamente provoca confusión o, en el peor de los casos, efectos perjudiciales para la salud.

Alimentación para deportistas tiene por objeto arrojar luz sobre este asunto de modo riguroso y ameno en un momento en que el deporte ha alcanzado una enorme popularidad.

En este libro encontrará alimentos naturales que permiten vivir y competir mejor, además de una lectura crítica de la eficacia real de distintos productos para deportistas que pueden encontrarse en el mercado.

En muchos casos, la alimentación natural ganará la partida a barritas, suplementos y preparados energéticos. Y es que competir o, simplemente, disfrutar alcanzando nuevos límites en nuestra forma física, no quiere decir dejar de lado una alimentación sana y deliciosa que nos permita cuidar nuestro cuerpo y disfrutar al mismo de la comida.

Entrenadores y preparadores, dietistas o profesionales sanitarios o, simplemente, deportistas de todos los niveles, prepárense para entrar en el apasionante mundo de la nutrición deportiva; es el momento de llevar la alimentación sana a su máximo rendimiento.

Y, por supuesto, siempre bajo la misma premisa. La salud del atleta es lo primero; sin salud no hay deporte que valga.

1 Las bases

Presentación

En las últimas décadas la nutrición deportiva ha sufrido una revolución. Se ha pasado a una alta tecnificación que, si bien es cierto que ha permitido mejorar el rendimiento de los deportistas, ha dejado en un segundo lugar los efectos sobre su salud. ¿Es posible competir comiendo sano?

La respuesta debería ser evidente. La salud del atleta es lo primero pero, en la práctica, no siempre es así. La presión competitiva, con la búsqueda de resultados a corto plazo, y el bombardeo comercial de las grandes marcas de suplementos nutritivos han distorsionado la alimentación deportiva. Hoy en día, la dieta de los atletas está más sujeta a modas que a necesidades reales, y la popularidad de la nutrición deportiva ha alcanzado tales cotas que se ha extendido a todos los rincones del planeta.

Son habituales los corredores populares o ciclistas de fin de semana que hablan con soltura de suplementos energéticos, dietas de fortalecimiento o de toma de colágeno para superar una lesión, sin tener en cuenta cuáles son los efectos para su salud. ¿Tiene sentido?

¿Puede llegar a ser contraproducente para el atleta la autoadministración de estas sustancias sin el conocimiento adecuado?

Lo cierto es que los efectos de la nutrición en el rendimiento deportivo son complejos. Se trata de una disciplina de reciente aplicación y todavía no se han realizado suficientes estudios contrastados. Los debates alrededor de cuáles son las cualidades de cada alimento son habituales y no son pocas las veces en las que reconocidos expertos en la materia sostienen posturas contrarias o matizan sus opiniones a medida que van surgiendo nuevos estudios y datos.

Los intereses comerciales de grandes marcas en el jugoso negocio de los suplementos y bebidas deportivas añaden más confusión a un tema complejo. Con cada nuevo descubrimiento en ingeniería nutricional, las marcas añaden más adjetivos cayendo en la exageración y rozando la publicidad engañosa.

Si a esto le añadimos una presión competitiva que mide por décimas de segundo la diferencia entre el éxito y el fracaso, nos encontramos con atletas que ven cada nuevo producto como el último remedio que multiplicará su rendimiento con menores tiempos de recuperación. Una presión que ha llegado a tal extremo que disciplinas enteras se han visto manchadas por la lacra del dopaje.

Así las cosas, cada nueva sustancia que aparece en el mercado cae en el debate extremo entre remedio milagroso o sustancia sospechosa, un debate propenso al griterío que deja sin voz a nutricionistas o entrenadores que luchan por saber con exactitud qué están dando a sus atletas para mejorar su rendimiento. Y lo que es peor: la presión competitiva, los intereses comerciales o, simplemente, las modas, parecen olvidar lo más importante, la salud del atleta.

Los últimos descubrimientos en nutrición y salud revelan su íntima relación. En las sociedades occidentales, una gran parte de las enfermedades están relacionadas con lo que comemos: dolencias cardiovasculares, diabetes, cardiopatías, colesterol, síndromes intestinales... Y la alimentación no afecta solo al sistema cardiovascular. Son muchas las dolencias derivadas de seguir una

dieta en la que abundan azúcares industriales, harinas refinadas y grasas... Un modo de alimentarse que, a largo plazo, afecta directamente al rendimiento del deportista, disminuyendo sus depósitos energéticos y provocando enfermedades autoinmunes y una gran variedad de problemas óseos como osteoporosis o artrosis.

Esta evidencia ha llevado cada vez a más deportistas a querer mejorar sus marcas ingiriendo alimentos saludables. Y es que la alimentación es la mejor terapia para muchos de los males que afectan a nuestro cuerpo. La decisión entre qué comer y qué no comer pasa a ser una elección que atañe a nuestra salud: una herramienta de vital importancia para cuidar nuestro cuerpo.

Se ha acabado comer para exprimir el rendimiento al máximo sin tener en cuenta los efectos que ello pueda tener a medio plazo. Para practicar deporte es necesario alimentarse de un modo saludable, venciendo el desconocimiento y los amplios prejuicios sobre la nutrición.

En este libro se pretende arrojar un poco de luz sobre la nutrición deportiva partiendo de una premisa fundamental: la SALUD. A lo largo de los temas encontrarás alimentos naturales que permiten vivir y competir mejor. Basándonos en un enfoque científico y riguroso analizaremos cuáles son las calidades de los distintos productos para deportistas que pueden encontrarse en el mercado y cuál es su eficacia «real».

En muchos casos, la alimentación natural pasará por delante de los preparados energéticos. Y es que competir o, simplemente, disfrutar alcanzando nuevos límites en nuestra forma física, no quiere decir dejar de lado las comidas sanas y deliciosas que nos permitan cuidar nuestro cuerpo al mismo tiempo que nuestro paladar se lo pasa en grande.

Además, trataremos multitud de dudas que suelen surgir a deportistas profesionales y aficionados a la hora de diseñar su dieta. ¿Es posible perder peso y seguir teniendo energía para entrenar y competir? ¿Son sanos los preparados para ganar masa muscular?¿Debo tomar vitaminas para compensar la oxidación que puede provocar el deporte?

En este libro encontrarás respuesta a estas y muchas otras preguntas de un modo gráfico y ameno, aprendiendo a elaborar dietas, recetas y suplementaciones enfocadas a la alimentación cotidiana del deportista.

Detallaremos cuál debe ser la pirámide alimenticia de la dieta de cada atleta según sus necesidades, lo que te permitirá conocer cómo mejorar la concentración y el rendimiento. Además, evitarás molestias digestivas durante los entrenamientos y las competiciones y podrás tener la energía disponible al máximo.

Un poco de historia

«Que tus alimentos sean tu medicina
y que tus medicinas sean tus alimentos».

He aquí el lema de Hipócrates, el padre de la medicina. Este médico griego dio a los alimentos la importancia que se merecían en el cuidado de nuestra salud. También Pitágoras, filósofo y matemático griego, recomendaba una dieta vegetariana y la práctica de ayunos para mantener y recuperar la salud. ¿Y qué tiene esto que ver con el deporte? Mucho.

La comida era una parte fundamental del entrenamiento de los atletas griegos para los Juegos Olímpicos. En general solía basarse en queso fresco y otros productos mediterráneos y, cabe decir, que alguna de las innovaciones en la dieta fueron la causa del éxito de algunos deportistas de la Antigüedad.

Un velocista con una dieta muy particular fue Corebo de Élide. Se trataba de un panadero, debemos suponer que bien alimentado a base de hidratos, que venció en la competición de velocidad stadion, que tuvo lugar en los primeros Juegos Olímpicos de la Antigüedad.

Otro renovador de la dieta de los deportistas fue un corredor de larga distancia excepcional: Dromeus de Stymphalos. Ganó numerosas carreras con una dieta basada en la carne. Una alimentación que se generalizó entre los atletas, muchos de ellos provenientes de familias pudientes que podían permitirse este lujo. Uno de los más célebres fue Milón de Crotona, atleta que se mantuvo en lo más alto de la lucha libre durante más de 24 años, llegando a ser seis veces campeón de esa disciplina.

¿Y cuál fue su secreto? 20 libras de carne, 20 libras de pan y 15 jarras de vino cada día. Cuentan las leyendas que el mismo día de las Olimpiadas cargó un toro de cuatro años hasta el estadio y se lo comió entero. Si nos fiamos de estos datos nutritivos Milo debía comer: ¡57.000 kcal por día! Una exageración. Y es que algunas de las recomendaciones de la época pondrían los pelos de punta a los entrenadores actuales. El mismo Hipócrates recomendaba a los atletas con los músculos irritados emborracharse una o dos veces.

Parece que en la Antigüedad la nutrición deportiva también estaba enormemente influenciada por las modas. La dieta de los gladiadores romanos cambió drásticamente. La Universidad de Medicina de Viena analizó el colágeno en cadáveres de gladiadores encontrados en Turquía, entonces provincia romana, y el resultado fue sorprendente. Estos atletas llevaban a cabo un estricto régimen vegetariano a base de cereales. Y no solo eso. Su alimentación incluía una «bebida energética» elaborada a partir de vinagre y de cenizas vegetales. Auténtica ingeniería alimenticia aplicada al deporte.

Estos conocimientos se perdieron a lo largo de los siglos y no fue hasta el siglo XIX, con la recuperación del interés por el deporte, que la nutrición deportiva volvió a entrar en escena. A lo largo del tiempo esta disciplina ha ido evolucionando y en el siglo XX se generalizó el consumo entre los deportistas de carbohidratos como reserva energética y de glucosa para retrasar la fatiga.

Hoy en día, la nutrición deportiva es clave en el entrenamiento de cualquier deportista y centenares de productos nuevos aparecen cada año en el mercado dirigidos a profesionales y aficionados. A veces, la obsesión por el rendimiento puede dejar en un segundo lugar la salud del deportista, por eso es importante entender que una alimentación saludable ayudará al bienestar del atleta a largo plazo.

Ejercicio físico, el deporte y alimentación

Hace miles de años, nuestros antepasados tenían que ejercer una actividad física diaria para sobrevivir. Debían emplearse a fondo para cazar y huir de los peligros y los músculos eran su principal argumento ante cualquier dificultad. La evolución del hombre hasta nuestros días ha sido un lento desarrollo hacia la vida sedentaria.

Según anunció la Organización Mundial de la Salud en enero de 2015: 3,2 millones de personas mueren anualmente en el mundo por causas directamente relacionadas con la falta de actividad física.

- La mayoría de la población mundial vive en países donde el sobrepeso y la obesidad se cobran más vidas que la desnutrición (según la Asociación Americana de medicina ya es la segunda causa de mortalidad en todo el mundo).
- Desde 1980, la obesidad se ha más que doblado en todo el mundo.
- En 2014, más de un tercio de las personas adultas tenían sobrepeso.

¿Qué hacer frente a estos datos alarmantes?

La obesidad puede prevenirse. El sedentarismo va siempre acompañado de malos hábitos que empeoran la situación; junto a la falta de ejercicio, la mala alimentación forma un cóctel explosivo. La llamada sociedad de los excesos ha provocado un descenso vertiginoso en el consumo de granos y verduras frescos y ha incrementado la ingesta de lácteos, azúcares y cereales refinados.

Las personas tenemos en nuestras manos la llave para reducir este peligro.

- Controlar el peso
- Realizar actividad física de modo regular
- Alimentarse de modo saludable con abundantes frutas y hortalizas.

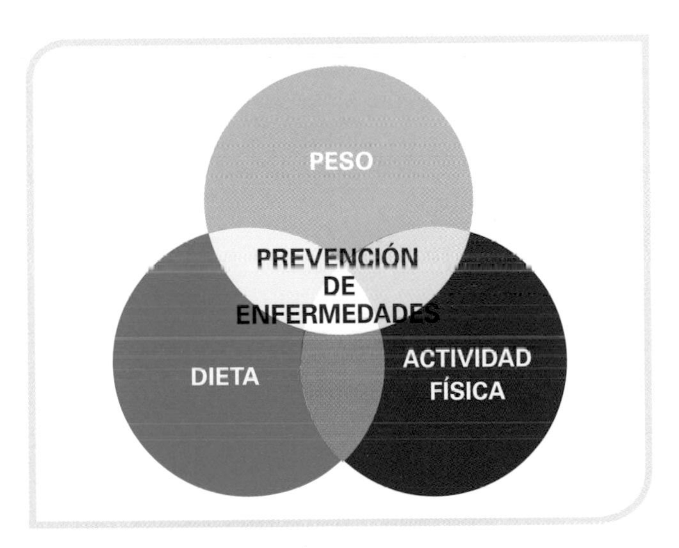

La contundencia de los datos ha puesto en marcha también a la Organización Mundial de la Salud (OMS). Sus consejos, divididos por grupos de edades, son bien claros.

Un adulto debe dedicar un mínimo de 150 minutos semanales al ejercicio físico aeróbico moderado. Actividades recreativas, desplazamientos, tareas domésticas... todo vale mientras empecemos a mover el cuerpo en sesiones de un mínimo de 10 minutos de duración. Para una mayor efectividad, esta práctica debe aumentarse progresivamente a 300 minutos semanales e incorporar actividades de fortalecimiento de los grandes grupos musculares y estiramientos.

«El ejercicio físico incrementa la esperanza de vida. Las personas activas tienen un índice de mortalidad un 50% más bajo».

Con estas prácticas mínimas las personas conseguirán mejorar las funciones cardiorrespiratorias y musculares, la salud del sistema óseo y prevendrán enfermedades como la depresión entre muchas otras.

La importancia de la nutrición

La mejora de los hábitos alimenticios disminuiría, drásticamente, los factores de riesgo de estas enfermedades. El estilo de vida saludable es la clave.

En Estados Unidos, el abuso de las grasas ha llevado al gobierno a impulsar un plan gigante para hacer llegar a sus ciudadanos las recomendaciones para una dieta saludable. Los consejos para nuestra dieta diaria son básicos:

- Frutas y verduras
- Granos enteros
- Productos lácteos bajos en grasas
- Aves, pescado y frutos secos
- Limitar el consumo de carne roja, alimentos azucarados y bebidas alcohólicas.

Sedentarismo *versus* vida activa

Nuestro metabolismo es el resultado de miles de años de evolución que nos permitieron hacer frente a las dificultades de nuestro entorno. En la actualidad, las condiciones que el ser humano ha creado para vivir –un estilo de vida sedentario, una sociedad estresada o una alimentación insana– son perjudiciales para nuestro organismo. Lo que nos conduce a enfermar.

Hemos evolucionado durante miles de años gracias al desarrollo de un gen que nos permitía sobrevivir a largos periodos de tiempo sin comida, es el «Gen Ahorrador». Este gen nos permitió hacer dos cosas fundamentales para la supervivencia:

1. Resistencia a la insulina. Los hidratos de carbono ya no entraron en las células para utilizarse como energía y, de esta manera, pudimos transformar estos azúcares en grasas y disponer de ellas en periodos de falta de alimento (y ahora nos queremos quitar esas grasas!).
2. Resistencia a la leptina. La leptina se encarga de avisarnos de que ya estamos saciados y debemos dejar de comer. Gracias a esta resistencia, nuestro antepasado podía comer más de lo necesario y así aumentar sus reservas de energía

La situación actual es muy diferente, ahora vivimos en la abundancia de alimento y no pasamos por periodos de escasez, pero arrastramos este gen. Esta situación provoca que muchas personas continuamente coman más de lo que necesitan y estos excesos se vayan acumulando provocando una serie de alteraciones importantes en la salud.

Obesidad, diabetes, hipertensión, dislipemia (colesterol alto) y ateroesclerosis (acumulación de grasa en las arterias) son su resultado, lo que deriva en peligrosas complicaciones cardiovasculares como el ictus cerebral o el infarto de miocardio.

Estas dolencias no aparecen solas. Todas tienen el mismo origen: la resistencia del hombre la insulina, que es la hormona que permite digerir el azúcar, lo que es vital para el control de nuestra glucosa en sangre. Nuestra resistencia a la acción de la insulina nos provoca toda una serie de desajustes llamados en general síndrome metabólico. Una enfermedad que afecta al cuerpo de una forma global produciendo diabetes, hipercolesterolemia, obesidad y desajustes del metabolismo y del sistema endocrino, es decir de nuestra hormona.

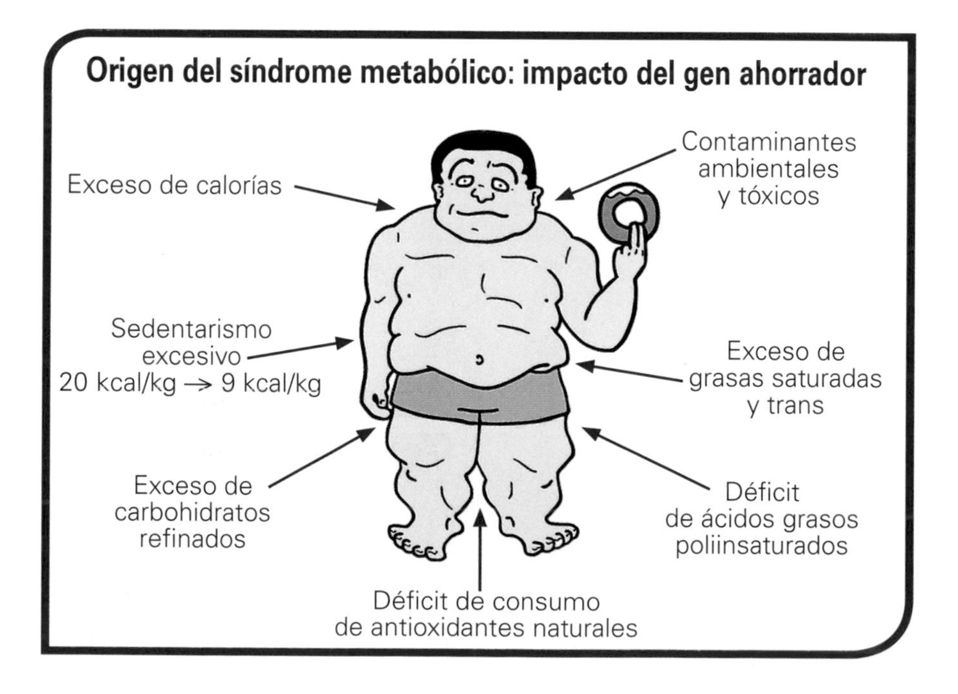

Origen del síndrome metabólico: impacto del gen ahorrador

Sedentarismo, estrés, consumo excesivo de calorías o abuso de grasas y azúcares se han convertido en su principal origen.

El deporte, por supuesto, también diferencias entre aquellos que sufrirán esas enfermedades o los que no. Gracias a la mayor cantidad de calorías que queman durante una jornada, los atletas pueden considerarse protegidos frente a esas dolencias.

Bases de la nutrición deportiva

¿Qué es la nutrición deportiva?

Establecer qué nutrientes y de qué manera los ingiere un deportista es el objetivo de la nutrición deportiva.

Algunos de los conceptos utilizados en esta disciplina se han convertido en axiomas ampliamente reconocidos. Por ejemplo, una buena reserva de hidratos de carbono antes de la competición permite mantener la glucosa en sangre y evitar un exceso de fatiga durante la actividad física. O también que el control adecuado de la grasa corporal incrementará el rendimiento.

¿De qué depende el rendimiento físico?

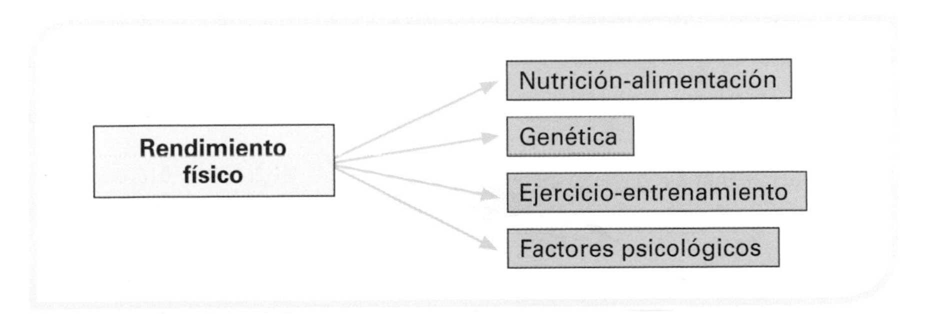

Hay factores de nuestro cuerpo que son incontrolables: la genética. Heredamos nuestras condiciones físicas y eso no se puede cambiar. Lo que sí podemos adaptar es el entrenamiento y el plan nutricional. Y, por supuesto, la preparación mental también resultará clave para marcar la diferencia.

¿Cómo se alimentan los deportistas?

Un deportista, como cualquier persona, debe tomar una dieta equilibrada y saludable que combine los diferentes nutrientes: hidratos de carbono, proteínas, grasas, vitaminas y minerales.

Como veremos más adelante, dependiendo del tipo de práctica deportiva tendremos en cuenta un mayor o menor aporte de ellos.

Las necesidades de las distintas disciplinas hacen que, en ocasiones, se fuerce al máximo la alimentación, llegando a algunos casos en los que se pueden sufrir carencias nutricionales.

Es habitual también que los atletas presenten carencias de hierro: la llamada «anemia del deportista», que puede ser debida a la dieta baja en hierro, pero en la que también pueden influir la mala absorción en el intestino debida a la mayor rapidez del tránsito intestinal en deportistas (y por lo tanto menor tiempo de absorción), sudoración excesiva, microlesiones o la menstruación.

Un déficit habitual es el del cinc, presente en pescados, mariscos y cereal integral, que puede presentarse en dosis demasiado bajas en atletas que consumen dietas ricas en hidratos de carbono o vegetarianos. El ejercicio en ambientes calurosos también favorecerá mayores pérdidas de cinc por el sudor.

Lo mismo sucede con el calcio; otro mineral que se pierde por el sudor. La falta de calcio favorece los calambres musculares así que asegurar su aporte será imprescindible.

Además, el deporte de alta competición puede llevar al atleta al borde del agotamiento, provocando una situación de oxidación continua. Para que el organismo se defienda hay que ingerir vitaminas: los antioxidantes por excelencia.

Mayor gasto energético

Un deportista tiene un gasto energético mucho mayor que una persona sedentaria, por lo que deberá adaptar su alimentación a los entrenamientos y competiciones.

> “En una persona sedentaria el porcentaje de masa corporal se sitúa en un 15% en hombres y en un 25% en mujeres. Para los deportistas, se recomienda un porcentaje de un 13-15% en hombres y un 20-22% en mujeres”.

En algunos casos, el consumo de grandes cantidades de comida para cubrir estas necesidades energéticas, puede repercutir en los procesos de digestión y absorción, con el consecuente efecto negativo en vitalidad, energía y rendimiento. Otro caso especial es el de los deportistas que necesitan controlar su peso, como los maratonianos, entre los cuales un porcentaje menor de grasa corporal puede mejorar notablemente el rendimiento.

En algunos casos se puede llegar a situaciones extremas de desórdenes alimentarios. Se trata de disciplinas como el boxeo, la lucha o la gimnasia rítmica, en las que es necesario mantener el peso corporal dentro de unos máximos y unos mínimos. Este parámetro puede determinar la categoría competitiva y llegar a convertirse en una obsesión para los deportistas.

Salvo estos casos excepcionales es mejor dejar en un segundo término la báscula y centrarse en la reducción de grasa corporal mediante una dieta equilibrada.

La nutrición es clave en el deporte, ya que suministra energía, aporta materiales reparadores y fortalecedores de los tejidos y regula y mantiene el metabolismo.

Por ello, la dieta de cada individuo deberá diseñarse asegurando el aporte de los nutrientes necesarios (sobre todo carbohidratos, grasas y proteínas), y teniendo en cuenta las necesidades calóricas de cada individuo, que variarán según sus características y la disciplina que practique.

Comer es un proceso de aprendizaje que nos permitirá mejorar el cuerpo; debemos aprender de nuestros errores para diseñar la dieta que necesitamos.

Principio de sobrecompensación y carga de entrenamiento

La sobrecompensación es el proceso mediante el cual, el cuerpo de un deportista, una vez finalizado el esfuerzo, pone en marcha mecanismos para recuperar su capacidad original.

Es uno de los principios en que se basa el ejercicio físico y el entrenamiento deportivo. Cuando el deportista es sometido a un entrenamiento y a un esfuerzo mayor del habitual el organismo se fatiga, reduciéndose así su capacidad de mantener siempre un rendimiento alto. Dependiendo del tipo de entrenamiento o esfuerzo, el cuerpo se vuelve más fuerte, más resistente o más flexible.

Así, después de una alta carga de trabajo, y habiendo realizado una buena recuperación, el rendimiento aumenta.

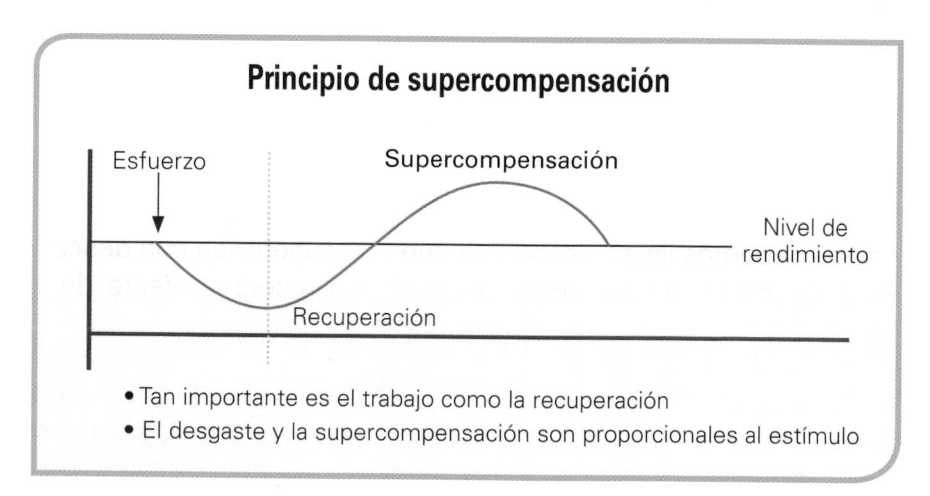

Por eso son tan importantes los entrenamientos y las distintas cargas de trabajo.

Cuando entrenamos rompemos el equilibrio del cuerpo, al que ponemos en una situación de estrés a la que debe responder con nuevas adaptaciones.

El nivel de carga del entrenamiento debe estar siempre por encima del nivel de rendimiento. Así, forzándonos un poco, siempre de un modo progresivo y bajo control y con una buena recuperación, conseguiremos aumentar el rendimiento.

Por eso, si siempre entrenamos con la misma carga de entrenamiento, nuestro rendimiento físico se estanca. En cambio, con una sobrecarga controlada, el cuerpo se adapta al estrés, incrementando la masa muscular y realizando adaptaciones neurológicas para mejorar la respuesta del organismo.

Eso sí, debemos llevar a cabo una buena recuperación con descanso y alimentación adecuados, si no, desaparecerá el efecto de la sobrecompensación:

1. Periodo de descanso muy prolongado: desaparecerá el efecto de la sobrecompensación, por lo que el deportista no obtendría beneficio alguno.

2. Periodo de descanso muy corto: el deportista no se recupera y se produce fatiga y el continuo descenso de la capacidad del organismo. Este caso es frecuente en deportistas que abusan mucho del entrenamiento y no recuperan lo necesario, entrando así en fases de sobreentrenamiento en las que son frecuentes las lesiones.
3. Repetición del esfuerzo coincidente con sobrecompensación: se producirá una sobrecompensación adicional, aumentando la capacidad funcional del organismo. Este caso es el ideal.
4. Eliminación del periodo de descanso y se produce un aumento de la concentración de esfuerzos: desciende la capacidad funcional del organismo, para luego recibir una sobrecompensación más alta. El periodo de descanso posterior habrá de tener mayor duración.

Hoy en día se conoce como entrenamiento invisible el que no se ve pero es de vital importancia para el correcto rendimiento de los deportistas. El descanso forma parte de este entrenamiento invisible. Es fundamental de cara a favorecer la sobrecompensación y el aumento progresivo del rendimiento deportivo del mismo. La nutrición también juega un papel importantísimo, ya que en los periodos de recuperación será vital que el organismo tenga a su disposición los nutrientes necesarios para reparar todos los tejidos corporales que se han usado durante el entrenamiento o la competición.

Los entrenadores deben conocer muy bien este principio y las características de los atletas o practicantes de ejercicio con los que trabajan. Mientras una persona sedentaria que empieza a realizar un programa de ejercicio mejorará muy rápido, ya que el nivel del que se parte obviamente es muy bajo, un atleta olímpico tiene los márgenes de mejora muy estrechos ya que lleva toda la vida entrenando (por ejemplo hay atletas «velocistas» que entrenan todo un año para bajar solo unas milésimas de segundo su marca). En el segundo caso, el entrenamiento invisible del que hemos hablado (descanso y nutrición) deberá estar muy estudiado y ajustado.

Alimentarse para competir

Para el rendimiento en competición y en entrenamiento serán fundamentales la reserva energética y la regulación de nuestro metabolismo. En fase de recuperación tendrá lugar también la reparación de los tejidos.

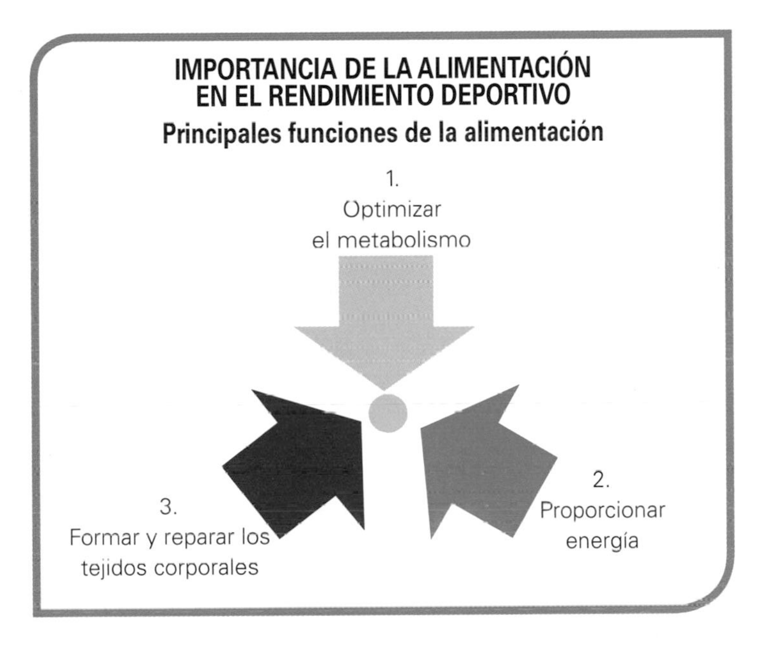

Deberemos tener en cuenta que lo que comemos hoy influye en cómo vamos a estar en el futuro.

Como veremos más adelante, dependiendo del tipo de disciplina y de la intensidad y duración del ejercicio un tipo de alimento será más adecuado que otro. El modo de liberación de energía, según el tipo de disciplina que practiquemos, requerirá una ingesta adaptada.

Además, la práctica regular de entrenamientos para preparar la competición tiene unos efectos en el cuerpo que, en algunos casos, pueden corregirse mediante la alimentación. Por ejemplo, el déficit de hierro, como hemos comentado, es habitual en los atletas que realizan pruebas de resistencia: la mayor necesidad de hemoglobina necesita hierro para su fabricación.

Aun así, cada situación es distinta. Además de la genética, factores como edad, sexo, complexión y estilo de vida afectan a los deportistas de cada disciplina, por lo que el diseño de la dieta será distinto en cada caso.

Hay muchas maneras de mejorar nuestro rendimiento. ¡Esto es sólo el principio!

La influencia de tus genes

Dos deportistas de la misma disciplina y con parámetros físicos parecidos pueden seguir un entrenamiento y un plan nutricional idéntico y obtener resultados diferentes. La razón es lo que nos hace ser únicos: la genética.

En nuestro organismo los genes influyen de un modo preestablecido: hay un comportamiento de nuestro cuerpo que no podemos controlar. No obstante, quedan en nuestras manos unos parámetros variables que condicionarán enormemente nuestra evolución: nuestro modo de vida, lo que comemos, nuestros hábitos y las condiciones ambientales que nos rodean.

Nutrición *versus* genética

La nutrición se convierte en una herramienta fundamental para «mejorar la expresión de los genes». Con lo que ingiere nuestro cuerpo podemos mejorar la absorción de vitamina D, por ejemplo, que ya viene condicionada por nuestra herencia genética. Se trata, en cierto modo, de conocer nuestro cuerpo para poder llevar a cabo una prevención personalizada.

Si en el rendimiento deportivo sólo influyeran los genes, de nada serviría el afán de autosuperación que mueve a los atletas a entrenarse durante largas horas y ningún sentido tendría la nutrición deportiva.

Su rasgo diferenciador radicará en el tipo de entrenamiento. Ahí es donde la nutrición cumple con un importante papel para mejorar el rendimiento.

Salud digestiva y deporte

El acto de comer implica una fisiología compleja en la que degradamos el alimento, lo ingerimos y descomponemos sus nutrientes para enviarlos al torrente sanguíneo. Ahí, cada uno de ellos realizará una función determinada para, luego, dejar unos residuos que el organismo eliminará.

Alimentarse involucra tal número de órganos y tiene tantas implicaciones en nuestro cuerpo que ingerir alimentos saludables es indispensable para estar sano. Para el deportista esta afirmación es sagrada. Estar sano es una condición para poder rendir.

2 Energía para el deporte

La energía, ¿para qué la necesitamos?

Sin la energía suficiente no hay entreno ni competición que valga. Optimizar la obtención de energía se ha convertido en un factor clave en el deporte. Conseguir las célebres calorías. Una palabra que de tanto usarse casi pierde su significado pero que, literalmente, significa la cantidad de calor necesaria para aumentar un grado centígrado un mililitro de agua.

El aporte energético que cada persona requiere para sus actividades diarias, para entrenar o para realizar cualquier esfuerzo depende de varios factores. Entran en juego edad y sexo.

Por ejemplo, un hombre requiere mayor ingesta de alimentos que una mujer, pero también hay condicionantes como la temperatura ambiental o el estado emocional en que nos encontramos (algo de verdad tiene que las personas nerviosas lo queman todo) y, por supuesto, la actividad física que realicemos. No quemaremos las mismas calorías si salimos a trotar relajadamente un sábado por la mañana que si nos jugamos una medalla en los Juegos Olímpicos.

El metabolismo basal y la energía que necesitamos

La cantidad de energía que necesitamos para funcionar en reposo recibe el nombre de metabolismo basal. O dicho de otro modo: es el valor mínimo necesario para que la célula subsista y pueda realizar reacciones químicas y funciones metabólicas esenciales para el organismo cómo respirar o bombear el corazón. Un ejemplo clarísimo de lo que significa estar en reposo es el estado llamado de «coma». Cuando una persona se encuentra en coma, aunque está inactiva, sigue necesitando unas calorías mínimas para sobrevivir, por lo que debe seguir ingiriendo alimentos.

Cada tipo de nutriente aporta una energía determinada, así que diseñaremos nuestra dieta en función de la energía que necesitemos.

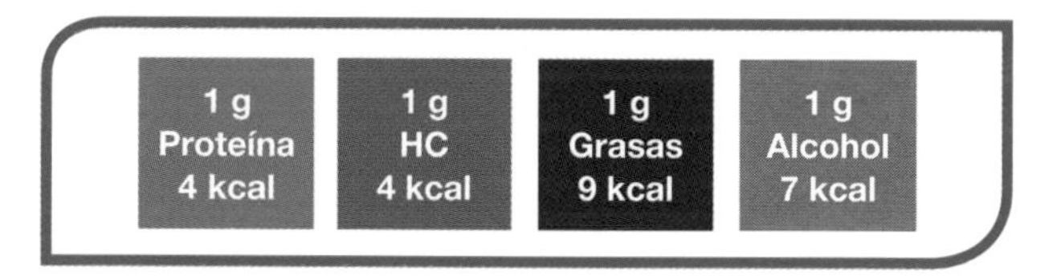

Hay que tener en cuenta, eso sí, que aunque determinados componentes como el alcohol aporten muchas calorías, la verdad es que conllevan unos efectos colaterales que no son muy beneficiosos para el cuerpo.

Si quieres calcular tu metabolismo basal o tasa metabólica en reposo (TMR) puedes desarrollar la siguiente fórmula.

Fórmulas para calcular el gasto metabólico en reposo

Tasa metabólica en reposo (kcal/día) a partir de peso (P) (kg) y edad. FAO/WHO/UNU (1985)

Edad (años)	Hombres	Mujeres
0–2	(60,9 x P) – 54	(61,0 x P) – 51
3–9	(22,7 x P) + 495	(22,5 x P) + 499
10–17	(17,5 x P) + 651	(12,2 x P) + 746
18–29	(15,3 x P) + 679	(14,7 x P) + 496
30–59	(11,6 x P) + 879	(8,7 x P) + 829
< 60	(13,5 x P) + 487	(10,5 x P) + 596

Fuente: FAO/WHO–OMS/UNU *Expert Consultation Report. Energy and Protein Requirements. Technical Report Series* 724. Ginebra: WHO/OMS. 1985.

Para calcular la cantidad de energía que necesitamos al cabo del día, además del metabolismo basal, también debemos tener en cuenta la práctica de ejercicio físico que realizamos.

Así que para añadir el tipo de actividad a nuestro TMR utilizaremos los datos de la siguiente tabla.

Veamos un ejemplo:

Tipo de actividad	x TMR	Tiempo (horas) (2)	Total
Descanso: dormir, estar tumbado...	1,0	8,0	8,0
Muy ligera: estar sentado, conducir, estudiar, trabajo de ordenador, comer, cocinar, planchar, jugar a las cartas, tocar un instrumento musical...	1,5	8,0	12,0
Ligera: andar despacio (4 km/h), tareas ligeras del hogar, jugar al golf, bolos, tenis de mesa, tiro al arco, trabajos como zapatero, carpintero, sastre...	2,5	4,0	10,0
Moderada: andar a 5-6 km/h, tareas pesadas del hogar, montar en bicicleta, tenis, baile, natación moderada, trabajos de jardinero, peones de albañil...	5,0	2,0	10,0
Alta: andar muy deprisa, subir escaleras, montañismo, fútbol, baloncesto, natación fuerte, leñadores...	7,0	2	14,0
Factor medio de actividad = total / 24 horas		**24 horas**	**54,0**

(1) Cuando se expresan como múltiplos de la TMR, el gasto de hombres y mujeres es similar.

(2) El tiempo total de las actividades debe sumar 24 horas.

Fuente: *National Research Council. Recommended Dietary Allowances.* National Academy Press, Washington, DC. 1989.

Mujer de 20 años y 60 kg de peso	
Tasa metabólica en reposo (TMR)	= (14,7 x P) + 496 = (14,7 x 60) + 496 = 1.378 kcal/día
Factor medio de actividad física (FA)	= 54,0 / 24 horas = 2,25
Necesidades totales de energía	= TMR x FA = 1.378 x 2,25 = 3.100 kcal/día

ATP: moneda energética

¿Y de dónde sale toda la energía que necesitamos? La almacena el cuerpo, por supuesto, mediante moléculas que sintetiza y que, al romperse, liberan la energía que necesitamos.

Esta «compraventa» de energía en nuestro cuerpo se realiza con lo que llamamos «moneda universal de energía». Un componente que, técnicamente, tiene un nombre mucho más complejo, adenosín trifosfato. Una molécula de adenosín unida a tres moléculas de fosfato cuya abreviatura universalmente conocida es ATP.

Cuando el músculo requiere energía rompe una molécula de ATP y la convierte en ADP (adenosín difosfato), obteniendo, gracias a este proceso la energía necesaria para el esfuerzo muscular.

Tus reservas de energía

Las reservas de ATP en el músculo no son demasiado abundantes, así que el cuerpo tiene que sintetizarlas continuamente para que el organismo pueda funcionar. Para ello, recurre a distintos depósitos energéticos:

- **Fosfatos de alta energía:** ATP y depósitos de fosfocreatina almacenados en la fibra muscular; no son muy abundantes y se utilizan en esfuerzos intensos y rápidos ya que liberan mucha energía, en poco tiempo, pocos segundos.
- **Glucosa:** glucógeno de los músculos y del hígado, además de en sangre. Proceden de los hidratos de carbono y son la principal fuente de energía de nuestro organismo.
- **Grasas:** se almacenan en forma de triglicéridos en el músculo y en el tejido adiposo; se trataría de «energía de reserva» y el cuerpo recurre a ellos en esfuerzos prolongados, como las carreras de fondo.
- **Proteínas:** en algunos casos la energía puede tener un origen proteico; suele tratarse de un último recurso cuando se han agotado las demás reservas energéticas.

El proceso energético

El proceso energético son las reacciones químicas que el cuerpo lleva a cabo para transformar los nutrientes que ingerimos mediante la dieta en energía útil.

Este proceso se realiza de dos maneras: anabolismo y catabolismo.

ANABOLISMO

Es la creación de estructuras complejas a partir de moléculas más simples, por lo que también se llama biosíntesis, y necesita energía para llevarse a cabo. Por ejemplo la formación de nuevas fibras musculares después de un duro entrenamiento es una reacción anabólica.

En los glúcidos encontramos dos procesos anabólicos:

- **Gluconeogénesis:** consiste en la síntesis de glucosa, que suele darse en el hígado y en el músculo a partir del glucógeno.
- **Glucogenogénesis:** síntesis de glucógeno a partir de glucosa llevada a cabo en el hígado para crear una reserva de energía en los músculos y en el mismo hígado.

CATABOLISMO

Liberación de energía mediante la descomposición hacia moléculas más simples.

La rotura del ATP desprende la energía necesaria para la contracción muscular, por ejemplo. La degradación de los nutrientes para obtener energía se realiza mediante la llamada respiración celular.

La respiración celular

Es el conjunto de reacciones internas en las que determinados compuestos orgánicos como glúcidos, grasas o proteínas se degradan por oxidación proporcionando energía para el organismo. Según la participación o no del oxígeno se divide en:

- **Respiración aeróbica:** la realizan la mayoría de células de nuestro organismo y requiere la participación de oxígeno.
- **Respiración anaeróbica:** sin participación de oxígeno.

Ciclo de Krebs y cadena respiratoria

Una vez que glúcidos, grasas y proteínas se han degradado en productos más sencillos, estos pasan al llamado Ciclo de Krebs y la cadena respiratoria, procesos que tienen lugar en el interior de las células donde los derivados de los nutrientes se utilizarán para la formación de ATP.

Sustratos energéticos

El ATP es su combustible y en el músculo sólo se encuentra una pequeña reserva, por lo que cuando se requiere su puesta en marcha glúcidos, lípidos y fosfato de creatina entran en acción.

Según el tiempo de contracción entran en acción unos componentes u otros.

Según las características de la actividad que realicemos la energía procedente de la síntesis de ATP tendrá orígenes distintos.

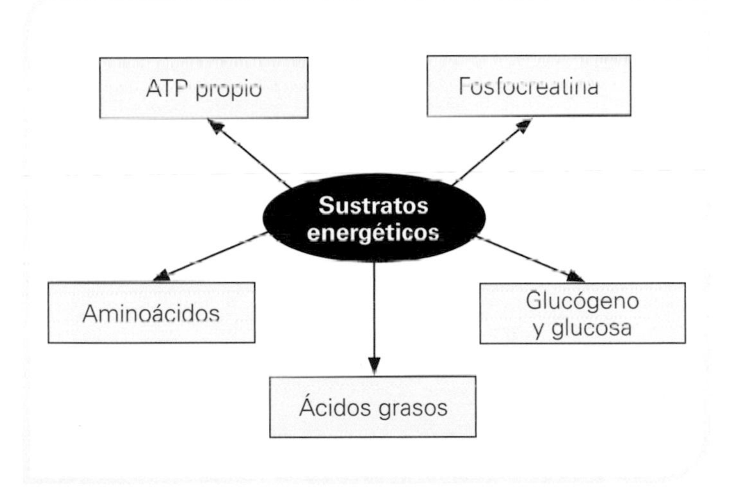

Ejercicios intensos y cortos (anaeróbico aláctico): se trata de una vía ultrarrápida de obtención de energía, ya que los combustibles se encuentran en el músculo. Se realiza la combustión a partir del ATP muscular, la fosfocreatina (PC) y del glucógeno muscular sin la participación de oxígeno.

- Reserva ATP músculo: < 10".
- Fosfato de creatina: 10-20".

Ejercicios intensos y duraderos (anaeróbico láctico): el músculo interviene en actividades de mayor duración y se ve obligado a recurrir a la glucosa del músculo o de la sangre (procedente de los hidratos de carbono). El subproducto derivado de este proceso es el temido ácido láctico.

- glucógeno muscular y del hígado: 20"- 9'

"El glucógeno hepático es la reserva más importante proveniente de los carbohidratos. Mantiene el nivel de glucosa en sangre, evitando la hipoglucemia: el mareo o cansancio repentino que puede asaltarnos durante la práctica deportiva."

Ejercicios de resistencia (aeróbico): inicialmente, el combustible es el glucógeno muscular y hepático, y, más tarde, los lípidos. Los sustratos energéticos utilizados en el músculo van difiriendo a medida que se alarga el ejercicio y proceden de los nutrientes más importantes (hidratos de carbono, grasas y proteínas).

- Hidratos de carbono, grasas y aminoácidos. A partir de los 9 minutos en adelante

Zonas de entrenamiento y metabolismo

Un proceso fundamental en el rendimiento deportivo es la modulación de las rutas metabólicas por las que el músculo obtiene energía. Como hemos visto, se trata de tres vías: aeróbica, anaeróbica aláctica y anaeróbica láctica.

- **Vía aeróbica:** ejercicios de larga duración, de resistencia, y requiere el aporte de oxígeno. Recurre primero al glucógeno muscular y hepático y, a medida que aumenta la duración del ejercicio, acude a las reservas de grasas.
- **Vías anaeróbicas** (sin oxígeno)
- **Vía anaeróbica aláctica:** ejercicios breves e intensos. Asegu-

ra una contracción muscular de unos 20 segundos gracias a la proximidad de la reserva energética: el ATP del propio músculo y el fosfato de creatina. Este proceso tiene lugar en carreras rápidas, lanzamientos o saltos.

- **Vía anaeróbica láctica:** sólo puede recurrir a los hidratos de carbono para sintetizar energía. Carreras que superan los 20" de esfuerzo como los 400 o 800 metros recurren a esta ruta metabólica. La generación de ácido láctico, un residuo que obstaculiza la contracción muscular, limita esta vía metabólica, por lo que puede agotarse en ejercicios que requieran mucho tiempo.

Entrenar el metabolismo

Es importante recalcar que el organismo no pasa de una vía a otra de forma segmentada o escalonada. Las diferentes vías están funcionando siempre. Dependiendo de la intensidad del ejercicio que estemos realizando estará más presente una que otra.

La clave del entrenamiento radica en que el organismo aprende a dosificar sus reservas energéticas, lo que permite un esfuerzo sostenido durante un tiempo mayor. En términos de metabolismo, esta dosificación es literal. En un entrenamiento de resistencia el cuerpo «aprende» a recurrir a las reservas lipídicas con mayor frecuencia, con lo que consigue un mayor ahorro de glucógeno.

Un modo sencillo y cotidiano, sin tener que recurrir a grandes pruebas y a herramientas complejas y sofisticadas, de detectar fácilmente si el aporte energético en un entrenamiento viene dado a partes iguales por glúcidos y lípidos es comprobar si podemos hablar sin jadear, el punto llamado de aerobiosis. Si, por el contrario, tenemos la sensación que nos falta el aire significa que prevalece la combustión de glúcidos, un proceso en el cual se consume mayor cantidad de oxígeno.

Combustible *versus* intensidad

A medida que aumenta la intensidad, medida en % VO_2 máx (consumo máximo de oxígeno), varia el porcentaje de utilización de las grasas y los hidratos de carbono. Con menor intensidad hay una presencia más alta de grasas y, a medida que aumenta la intensidad, baja su participación.

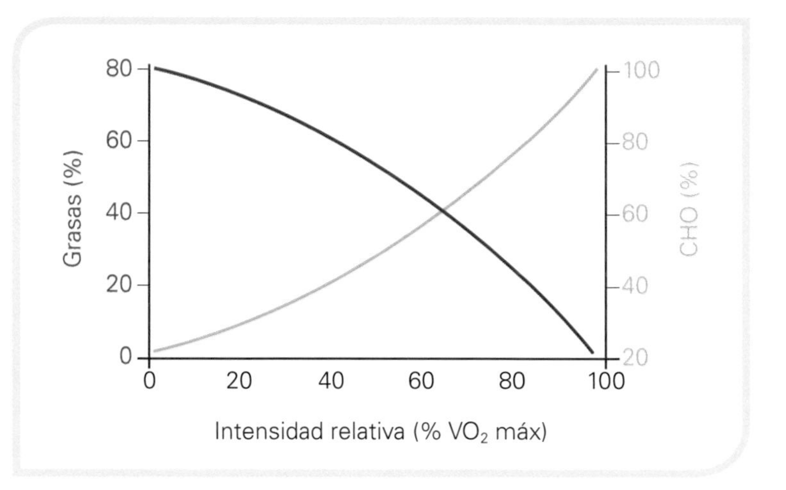

En cuanto al tiempo, un ejemplo claro es el tiempo invertido en una maratón, donde, a medida que aumenta la duración de la prueba de resistencia el organismo consume más grasas.

Tiempo	Ácidos grasos	Glucosa sangre	Glucógeno muscular
2 h 1/2	37%	17%	46%
4 h	58%	25%	17%

La elección de la vía metabólica según el ejercicio

Como estamos viendo, la elección del modo de obtención de energía dependerá de la potencia y velocidad (intensidad) y de la resistencia (duración). En la toma de esta «decisión» juegan un papel fundamental los distintos tipos de fibras musculares que encontramos en nuestro organismo y sus diferentes características.

- **Tipo I.** Fibra roja de oxidación lenta
  - Producción de energía a través de procesos aerobios, con oxígeno

- Contracción lenta y resistencia prolongada
- Ejercicio de intensidad media y larga duración: maratones, carreras de fondo, ciclismo de carretera, triatlón...
- Mayor capacidad de reserva de glucógeno y triglicéridos
- Se ha estimado que la reserva de triglicéridos en estas fibras es el triple que en las del tipo II.

- **Tipo IIa.** Fibra roja de contracción rápida o mixta
  - Producción de energía mediante procesos anaerobios, sistema del ácido láctico
  - Pueden orientarse hacia disciplinas de resistencia o velocidad (400 o 800 m).

- **Tipo IIb.** Fibra blanca o rápida
  - Producción de energía con procesos anaerobios
  - Contracción rápida y agotamiento rápido
  - Esfuerzos cortos e intensos: 100 m, *powerlifting*, saltos, esprints, etc.

En la mayoría de deportes se requiere un buen estado de las diferentes fibras para estar al nivel deseado. En el fútbol, por ejemplo, necesitamos fibras I lentas para aguantar 2 partes de 45 minutos y fibras II rápidas para momentos concretos del juego como contraataques y recuperaciones de balón.

El consumo máximo de oxígeno

Durante la práctica del deporte, uno de los parámetros fisiológicos fundamentales para entender las reacciones de nuestro organismo es el consumo máximo de oxígeno (VO_2 máx) o cantidad máxima de oxígeno que una persona puede absorber, transportar y metabolizar.

Es una buena manera de medir la llamada capacidad aeróbica de un individuo y resulta fundamental en los entrenamientos ya que, de cara a la competición, el objetivo es aumentarlo para rendir el máximo posible.

> “La media entre la población suele situarse alrededor de los 40 o 50 ml/kg/min. Con un entreno específico, en un deportista profesional puede aumentar hasta los 75 ml/kg/min”.

El ciclista Miguel Induráin con 88 ml/kg/min o el corredor y esquiador de montaña Kilian Jornet con 91 ml/kg/min son ejemplos de deportistas excepcionales que ponen a prueba los límites de su capacidad pulmonar.

La deuda de oxígeno

Al acabar un ejercicio, la respiración continúa activa a un nivel bastante alto. En los primeros segundos de la fase de recuperación, de hecho, nos cuesta respirar y se repiten los jadeos que van calmándose con el paso del tiempo.

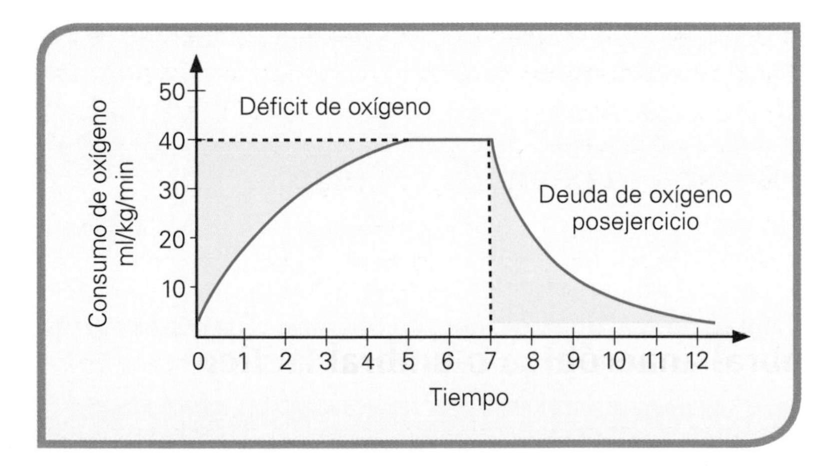

No se trata tan sólo de la inercia de nuestros órganos, que necesitan unos minutos para desactivarse, sino de la deuda de oxígeno. El oxígeno consumido durante la fase de recuperación, después de un ejercicio, es mayor de lo normal, y esto es debido al déficit en la obtención de energía que se produce al principio del ejercicio. La deuda se acumula al no poder proporcionarse por vía aerobia toda la energía necesaria para el cuerpo.

No es hasta la fase de recuperación, cuando la necesidad de oxígeno se estabiliza, que el organismo lo «recupera» con un cierto tiempo de demora respecto a la finalización de la actividad. La tolerancia de un individuo a esta deuda puede ampliarse incrementando el nivel de entrenamiento.

Los umbrales aeróbico y anaeróbico

Otro indicador del potencial de un individuo son los umbrales aeróbico y anaeróbico. Aunque la transición entre el sistema aeróbico y el anaeróbico es gradual, en estos dos puntos se produce, en el organismo, un cambio brusco en la concentración de ácido láctico en sangre.

El umbral aeróbico

Es el punto en que empieza a aparecer de forma significativa con centración de lactato en sangre, para apoyar al sistema aeróbico con más energía. Aun así, sigue predominando el sistema aeróbico, lo que permite mantener esta intensidad por tiempo prolongado. Esta larga duración se debe a que los depósitos de grasas son grandiosos y a que el oxígeno es suficiente. La misma respiración elimina el ácido láctico. Es en este momento cuando se acelera.

Umbral anaeróbico o umbral láctico

Al aumentar la intensidad del ejercicio, se produce la saturación del sistema aeróbico y se presenta una demanda brusca de energía. Por ello, se pasa a utilizar, mayoritariamente, la vía anaeróbica con energía procedente de los hidratos, ya que aporta energía de modo más rápido.

El único problema es que este proceso genera un exceso de ácido láctico que provoca fatiga y pérdida de rendimiento. Por eso recibe también el nombre de umbral láctico, porque aumenta de forma exagerada y desencadena síntomas de fatiga muscular. Este umbral se puede modular gracias al entrenamiento y conseguir disminuir la cantidad de lactato en sangre después de una sesión de ejercicio idéntica mejorando, así, el rendimiento.

Has llegado al límite: la fatiga

La fatiga en el deporte es considerada un estado en el que el atleta no puede rendir al nivel esperado. Es la prueba del fracaso de los entrenamientos que el deportista ha llevado a cabo por no poder mantener el ritmo o la intensidad buscada o por caer en el abandono.

Se trata de un fenómeno en el que inciden múltiples causas y que está lejos de ser conocido en profundidad. Lo que es seguro es que se trata de un mecanismo defensivo del organismo, que trata de evitar consecuencias negativas debidas al sobreesfuerzo que podrían desembocar en lesiones. El cerebro desencadena una modificación de nuestro comportamiento, traduciéndose, a veces, a nivel local en un grupo de músculos o a nivel de todo el organismo.

Algunas de las causas que producen fatiga en el deportista son:

- Finalización de los sistemas energéticos
- Exceso de residuos en el organismo (por ejemplo ácido láctico)
- Fallos en la contracción del músculo derivados de una mala transmisión del sistema nervioso

Para prevenir la fatiga en el deportista no existe una fórmula exacta. Lo más necesario es prever una proporción razonable entre el ejercicio propuesto y sus posibilidades de ejecución. Un buen entrenamiento y una alimentación adecuada pueden reducir la posibilidad de sufrir este fenómeno o disminuir su duración.

3 Una cuestión de peso. ¿Cuál es el peso ideal en el deporte?

Peso ideal en el deporte

En el deporte, igual que en la sociedad en general, existe mucha presión alrededor de cuál debe ser el peso adecuado para cada individuo. Lo que ocurre es que los atletas, además, vinculan este dato al rendimiento, lo que aumenta la presión añadida en todo lo que tenga que ver con la báscula.

La estructura ósea determinada genéticamente puede hacer que una persona «grande», por mucho que se obsesione, no conseguirá pasar de determinado límite de adelgazamiento. Nuestra constitución forma parte de nuestro modo de ser y debemos aceptarla tal cual es. Podemos modificar nuestro peso dentro de unos límites, ganar o perder kilos para conseguir, por ejemplo, unos objetivos deportivos. Deben ser, eso sí, razonables y no ir en contra de nuestra genética.

A lo largo del día, mantenemos nuestro peso si la energía que consumimos equivale a nuestro gasto energético. Si nuestro peso se incrementa o se reduce es síntoma de un desequilibrio en nuestro organismo. En el deporte estas variaciones pueden influir enormemente en el rendimiento. El sobrepeso provocará un gasto mayor de energía para una misma carga de ejercicio mientras que la excesiva delgadez puede conducir a la debilidad. Por ello se utilizan distintos métodos para analizar la composición corporal, lo que permite evaluar la salud de cada uno y prescribir recomendaciones en la dieta y en el ejercicio.

Y mi peso... ¿Cuál debe ser?

Hombres		Mujeres
< 20	Desnutrición	< 19
20 - 24,9	Normalidad	19 - 23
25 - 29,9	Sobrepeso	24 - 27
30 - 40	Obesidad	27 - 32
> 40	Obesidad grave	> 32

El Índice de Masa Corporal (IMC) es un indicador que relaciona la masa y la talla de un individuo. A partir de la media obtenida en un gran número de individuos se ha establecido cual debe ser un IMC «normal».

Esta tabla tiene algunos inconvenientes, como la nula información sobre la distribución del peso. Para ello se recurre también a otras unidades de medida como el porcentaje de Grasa Corporal relativa (el % GC), un indicador que permite cuantificar la obesidad de un individuo.

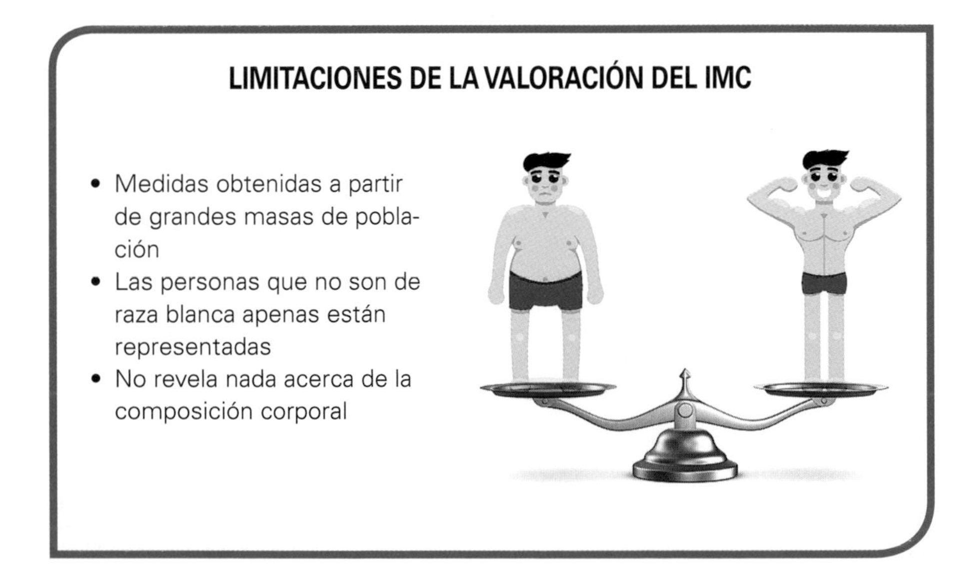

LIMITACIONES DE LA VALORACIÓN DEL IMC

- Medidas obtenidas a partir de grandes masas de población
- Las personas que no son de raza blanca apenas están representadas
- No revela nada acerca de la composición corporal

Este índice desprecia las zonas en las que la masa es necesaria para nuestro funcionamiento como músculos y huesos y se centra en analizar la llamada masa grasa, el depósito de energía extra que se acumula alrededor de los órganos a modo de protección o en la capa adiposa debajo de la piel.

Factores como la edad o el sexo influyen en nuestro índice de grasa corporal, y la dieta o el ejercicio, por supuesto, pueden suponer grandes variaciones en poco tiempo. En la mujer por ejemplo, el índice es ligeramente superior debido a las reservas de grasa para alimentar a un bebé que se depositan en caderas, pecho y muslos.

Masa grasa y masa libre de grasa

Debemos diferenciar dos tipos de grasa:

- Grasa esencial: Es necesaria para el funcionamiento correcto del organismo: cerebro, tejido nervioso, medula ósea, tejido cardíaco y membranas celulares.
  - Hombre adulto 3-5% de su peso corporal
  - La mujer 11-13%, asociada al aparato reproductor.

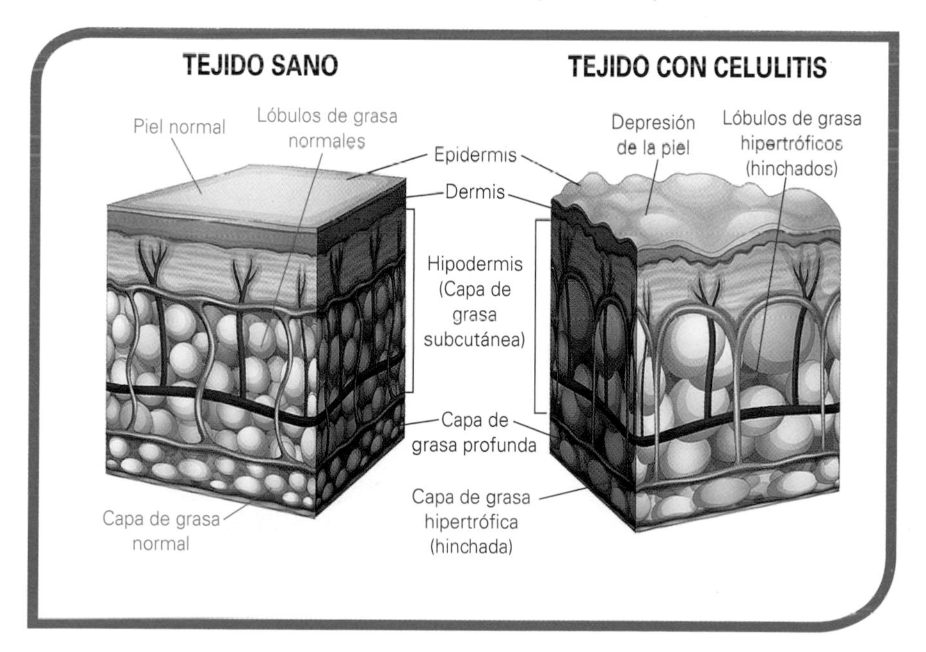

- Grasa de reserva:
  - Es un depósito de los excedentes de energía, y puede variar considerablemente
  - Cuando este tipo de grasa es separada por el tejido conjuntivo en pequeños compartimentos la piel adquiere un aspecto acolchado, conocido como celulitis.

Diversas técnicas permiten medir nuestra composición corporal para delimitar en que situación nos encontramos.

Clasificación	Aspecto	Hombre (%)	Mujeres (%)
Muy poca grasa	Flaco	7 - 10	14 - 17
Poca grasa	Esbelto	10 - 13	17 - 20
Cantidad media de grasa	Normal	13 - 17	20 - 27
Por encima de lo normal	Sobrepeso	17 - 25	27 - 31
Mucha grasa	Obeso	> 25	> 31
Grasa esencial		3 - 5	11 - 13

Y el resto, ¿qué?

Las demás partes del cuerpo contienen la masa libre de grasa. Proteínas y agua y una pequeña parte de glucógeno y minerales que encontramos, sobre todo, en músculos, huesos y órganos como el corazón o el hígado.

El agua supone la mayor parte (60%) y, del resto, la llamada «materia seca» la mayor parte está compuesta por proteínas.

Existen una serie de factores que influyen en la composición corporal:

PROPORCIÓN EN LA QUE SE ENCUENTRAN LOS PRINCIPALES COMPONENTES DE NUESTRO CUERPO

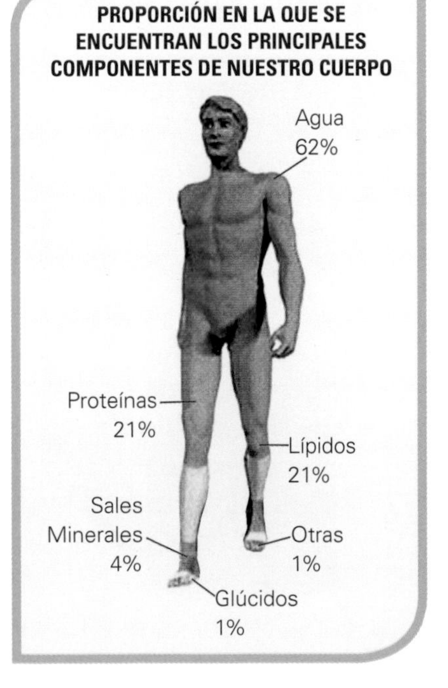

- Edad: en la edad adulta la masa muscular disminuye y, al mismo tiempo, se reduce el nivel de actividad física.
- Las chicas tienden a almacenar más grasa al empezar la pubertad mientras que los chicos desarrollan más el tejido muscular.
- La dieta puede afectar a corto plazo o de forma puntual (restricción de agua, ayuno total) pero los efectos más importantes son a largo plazo.
- La actividad física también influye muchísimo, ya que un sólido programa de ejercicios ayuda a desarrollar los músculos y a perder grasa.

Según como se almacene la grasa en el organismo se pueden distinguir dos tipos de acumulación:

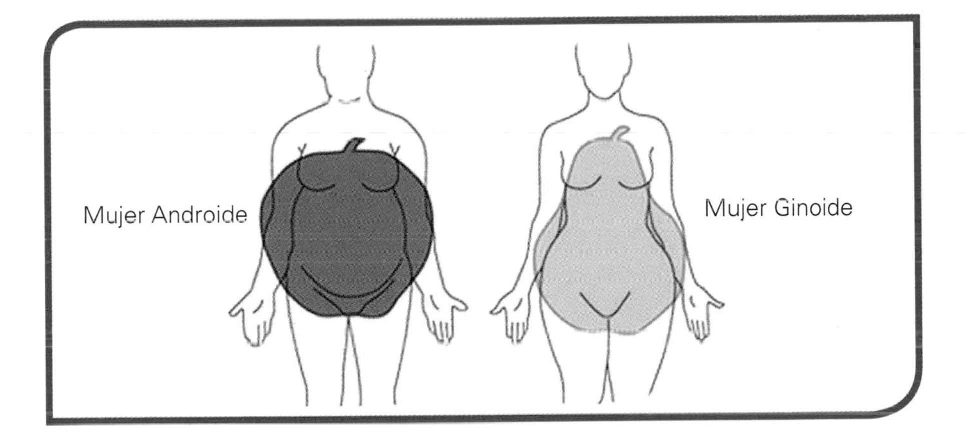

- **Obesidad androide:** es más frecuente en los hombres. En las mujeres aparece durante cambios hormonales, cómo menopausia o embarazo. La obesidad androide, al acumularse en la parte superior del cuerpo se considera un factor de riesgo para sufrir enfermedades coronarias, colesterol alto y diabetes.
- **Obesidad ginoide:** la grasa del cuerpo se acumula en la parte inferior, es decir, abdomen inferior, nalgas y muslos. Es más frecuente en mujeres por el índice de estrógenos en el organismo. Se considera de menor riesgo aunque puede provocar complicaciones de varices, problemas circulatorios, fatiga cronica o artrosis. La grasa acumulada en el tren inferior es más estable lo que la hace más difícil de eliminar.

Sistemas de medición de la composición corporal

Análisis de la composición corporal: permite reconocer las necesidades de un individuo ante la práctica deportiva.

Índice de masa corporal

El peso dividido por la talla. Se trata del método más sencillo y permite obtener una valoración general del estado del individuo.

Hidrodensometría

Medición del peso bajo el agua, que permite calcular la grasa corporal gracias a que el tejido adiposo es menos denso que músculo y huesos.

Antropometría

Medición de perímetros de cuello, abdomen y caderas, además de hombros, codos y muñecas, que indica la distribución de grasa. Destaca la relación cintura – cadera, que permite conocer la probabilidad de contraer diabetes y enfermedades cardiovasculares.

$$\text{ICC} = \frac{\text{Perímetro de cintura (cm)}}{\text{Perímetro de cadera (cm)}}$$

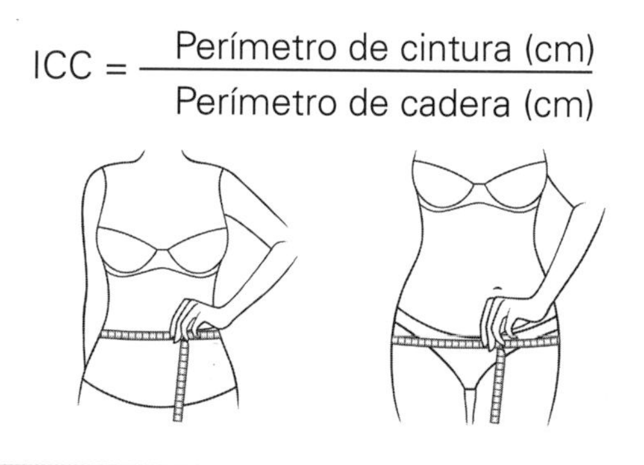

Normas de proporción cintura-cadera				
Género	**Excelente**	**Bueno**	**Promedio**	**En riesgo**
Hombres	< 0,85	0,85 - 0,89	0,90 - 0,95	> 0,95
Mujeres	< 0,75	0,75 - 0,79	0,80 - 0,86	> 0,86

Impedancia eléctrica

Gracias a una corriente eléctrica menor aplicada al cuerpo es posible calcular la resistencia eléctrica del cuerpo y, junto a talla y peso, definir la grasa corporal.

Mientras el agua es un buen conductor eléctrico, la grasa no lo es, por lo que genera resistencia a esta corriente. Aunque tiene un margen de error bastante alto, del 3 al 4%, es un buen indicador para controlar la evolución de la grasa bajo el asesoramiento de un profesional.

Sistema de pliegues

Es el sistema de medición de la grasa subcutánea más habitual. Mediante una herramienta llamada calibrador, se calcula el espesor de grasa en distintos puntos del cuerpo. Los valores resultantes se introducen en unas fórmulas que incorporan las variables de sexo y edad y permiten calcular el porcentaje de grasa. Presenta un porcentaje de error del 3 al 4%.

Establecimiento de objetivos

Los resultados servirán para establecer unos objetivos razonables. Así, no es lo mismo un atleta profesional que un aficionado. Por ejemplo, derivarán en entrenamientos diferentes una persona que pretende subir el umbral aeróbico y otra que quiere adelgazar.

En el primer caso, un objetivo puede ser subir el umbral aeróbico, disminuir la frecuencia cardíaca en reposo y aumentar la masa muscular. Por lo que los ejercicios recomendados serán de resistencia aeróbica para aumentar el umbral aeróbico y disminuir la FC en reposo y ejercicios de fuerza para aumentar la masa muscular.

En caso de querer adelgazar, buscaremos el aumento del metabolismo basal también mediante ejercicios de fuerza y un balance calórico negativo, por lo que serán recomendables ejercicios que gasten calorías.

Cada caso será distinto y deberemos ajustar los deseos de cada individuo con sus capacidades.

Pautas saludables para perder peso en los deportistas

Estar delgado es una de las grandes obsesiones de nuestro tiempo y se ha convertido en un negocio millonario. El resultado es una gran cantidad de personas que, sin necesitar grandes ajustes en dieta o en ejercicio, son usuarios habituales de dietas milagrosas y suplementos adelgazantes.

A pesar de la presión social, no debemos preocuparnos en exceso de nuestra línea y tenemos que procurar fijar unos objetivos razonables según nuestras necesidades de salud, rendimiento y estética. En cualquiera de estas situaciones, la pérdida de peso no será definitiva y deberá ir acompañada de unos hábitos que favorezcan su mantenimiento.

¿De dónde viene el apetito?

El hambre y la saciedad no están en la comida, están en nuestro cerebro.

El apetito se desencadena a partir de la estimulación de olfato, gusto y vista; vemos un plato de pasta que nos gusta y, a través de procesos neuronales, se desencadenan cambios de glucosa en sangre y variaciones en el metabolismo de los principales nutrientes. ¡Nuestro cuerpo se prepara para comer! Y el principal responsable de esta puesta a punto es la grelina, la «hormona del hambre», que predispone el aparato digestivo para la digestión de los alimentos.

Del mismo modo, otra hormona, la leptina, nos da la sensación de saciedad. Al recibir alimentos, las paredes del estómago se ensanchan y sus receptores mandan un aviso al hipotálamo, lo que suprime la ingesta de alimentos.

Controlar el peso

En condiciones ideales, el mecanismo del hambre debería asegurar el aporte energético que necesitamos, ni más ni menos, lo que daría como resultado el mantenimiento de nuestro peso. Se trata de una cuestión de números: cada persona necesita una cantidad determinada de calorías. Si supera esta cantidad, engorda.

La acumulación de grasa en nuestro organismo se debe a los desequilibrios introducidos por el tipo de dieta. Así, aunque es cierto que distintas personas engordan de modo distinto, la raíz de la cuestión estará en reequilibrar nuestra dieta, con menos grasas saturadas de mala calidad y disminución de los hidratos de carbono refinados, que en general engordan más rápido. Si a esto le añadimos un buen balance de proteínas e hidratos de carbono complejos y grasas saludables, estaremos en el buen camino.

¿Cuánto peso puedo perder?

Las recomendaciones en el deporte hablan de perder como mucho un kilo semanalmente y someter nuestra evolución a mediciones de composición corporal, ya que esta pérdida debe ser de grasa. Si es de músculo, nuestro rendimiento se reducirá.

Obviamente todo dependerá del estado de sobrepeso con el que nos encontremos. En ocasiones, cuando el exceso es importante y se está bien asesorado por profesionales, se puede recurrir a eliminaciones mayores.

El porcentaje de grasa corporal que necesitamos dependerá de nuestra práctica deportiva. Si realizamos actividad física en una línea saludable nos bastará con estar en una categoría «normal», en cambio, cuando somos deportistas de alto rendimiento deberemos estudiar qué categoría es la que se adapta más a nuestra práctica deportiva. A partir de la referencia de nuestro peso ideal, deberemos establecer un objetivo y planificar una estrategia para llegar a él.

Tabla comparativa de porcentaje de grasa corporal			
Categorías	**Nivel de grasa**	**Hombre (%)**	**Mujer (%)**
Físico culturismo	Extremo bajo	3 - 7	9 - 14
Definido / delgado	Muy bajo	7 - 10	14 - 17
Atlético	Bajo	10 - 13	17 - 20
Normal	Normal	13 - 17	20 - 27
Sobrepeso	Alto	17 - 25	27 - 31
Obesidad	Muy alto	> 25	> 31

Una cuestión de hábitos

Nuestro comportamiento tiene las claves que nos ayudarán a perder peso y son diversos factores físicos, sociales y corporales los que influyen en él. Un entorno cultural propenso a una dieta en grasas, por ejemplo, llevará muy probablemente a la obesidad, así que deberemos desarrollar nuevas actitudes respecto a la salud.

Dado que un gran porcentaje de los obesos que pierden peso lo recuperan, la mayoría de los expertos opina que habría que dar mayor importancia a la prevención y al mantenimiento. La prevención del exceso de peso resulta más eficaz que el tratamiento e implica unos hábitos que duran toda la vida.

Algunos de los comportamientos que llevan a un aumento de peso son:

- Mala calidad de los alimentos
- Desorden de horarios de comidas y picoteo entre horas
- Estado de ánimo negativo
- Qué hacemos mientras comemos.

Una vez identificados nuestros puntos débiles, debemos planificar una dieta saludable y cumplir unos puntos básicos.

- Evitar comida procesada y apostar por productos naturales
- Dieta baja en calorías y rica en nutrientes
- No añadir azúcares o grasas
- Comer lentamente, disfrutando de la comida
- Ser positivo con la pérdida de peso.

Para un deportista, una buena opción para perder peso es realizar desayuno y comida abundantes, para aportar energía a los entrenos, y una cena más ligera. Así, reducirá el abandono de dieta que suelen sufrir muchos deportistas, que se sienten muy hambrientos durante el día por la gran cantidad de calorías gastadas.

El entrenamiento de fuerza permitirá desarrollar músculos que aumentan el metabolismo durante todo el día y toda la noche. El tejido muscular quema calorías de forma activa, así que, cuanta más masa muscular tenga, más calorías quemará.

En resumen, el ejercicio es un complemento en la pérdida de calorías, ya que disminuye el estrés, favorece una alimentación saludable y acelera el metabolismo, debido al aumento del tejido muscular (metabólicamente más activo) que repercute en el gasto de calorías totales al final del día.

No hay ningún secreto: para perder lo importante es regular la dieta, gastar más de lo que ingerimos.

La velocidad en la pérdida de peso

> “Durante los primeros días de una dieta baja en calorías, aproximadamente el 70% del peso perdido es agua, el 25% grasa, y el 5% tejido proteico”.

Durante una dieta de adelgazamiento los primeros días se pierde más peso. Eso se debe a la pérdida de agua que acompaña la disminución de hidratos almacenados en forma de glucógeno en músculos e hígado.

En la primera semana, para perder medio kilo, para una persona de unos 90 kg de peso bastará con un déficit de 1.200 calorías (unas 200 al día), ya que el agua no tiene valor calórico.

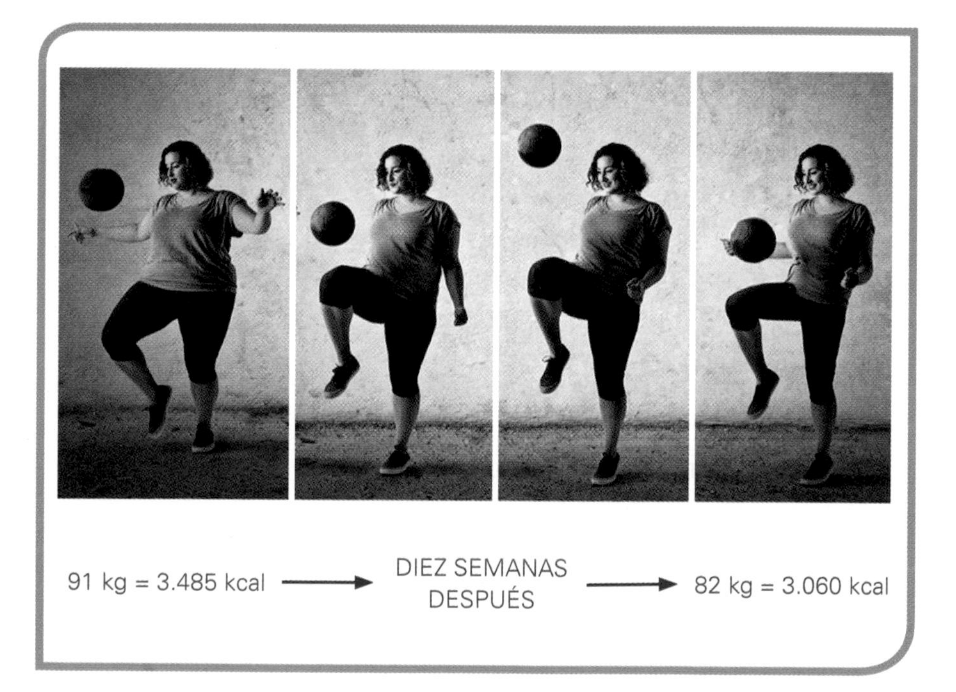

91 kg = 3.485 kcal ⟶ DIEZ SEMANAS DESPUÉS ⟶ 82 kg = 3.060 kcal

Al final de la segunda semana de una dieta, el agua constituirá tan sólo alrededor de un 20% de la pérdida total de peso; en esta etapa, ½ kg de peso equivaldrá a 2.800 calorías.

Al final de la tercera semana, las pérdidas de agua son mínimas. El déficit energético necesario para perder ½ kg se acercará a las 3.500 calorías.

Otro factor: cuando adelgazamos necesitamos cada vez menos calorías para mantener el nuevo peso. Supongamos un deportista de 91 kg que necesita ingerir 38 calorías/kg de peso corporal para mantener su peso.

Como pesa 91 kg, la cantidad total de calorías diarias necesarias ascenderá a 3.458 (91 x 38). Si después de 10 semanas de dieta, su peso baja a 82 kg, solo necesitará 3.060 calorías. Así que, si quiere seguir manteniendo el déficit calórico, tendrá que ir ajustando su ingesta calórica a medida que pierda peso.

Los hidratos y la pérdida de peso. ¿Engordan?

Los hidratos de carbono no engordan. Lo que hace que acumulemos más peso es el exceso de calorías, sobre todo si tienen forma de grasa.

De hecho, muchas veces es la mantequilla o el aceite que acompañan los hidratos los que engordan, ya que un deportista quema los hidratos que ingiere y almacena las grasas que pueden convertirse en «esos kilos de más». Sin embargo, hay que tener en cuenta que cuando los depósitos de glucógeno están llenos, el exceso de calorías se almacenará en forma de grasa corporal.

Otro mito que suele asociarse al exceso de peso es la carga glucémica de los hidratos de carbono; la rápida subida del azúcar en sangre. No debemos preocuparnos: el deporte es ideal para controlar el nivel de glucosa sanguínea ya que, cuanto más ejercicio hagamos más rápidamente lo absorberemos. Uno de los efectos saludables del ejercicio es que provoca que el cuerpo no tenga que producir tanta insulina para absorber los hidratos, ya que actúa sobre la fibra muscular mejorando la resistencia a la insulina y haciéndole el trabajo más fácil.

Puntos importantes:

- Los HC engordan menos que las grasas
- Necesitamos HC para alimentar nuestros músculos
- Quemamos HC durante el ejercicio intenso
- Los HC son buen combustible, el enemigo es el exceso de calorías
- Para perder peso es preferible reducir los alimentos ricos en grasas saturadas y mantener los HC ricos en fibra.

Los peligros de la delgadez

Estar excesivamente delgados puede suponer un problema para aquellos que, buscando una mejora del rendimiento, sobrepasan ciertos límites. Esto suele ser fruto de establecer unos objetivos inalcanzables que acaban volviéndose patologicos, y no son raros en el deporte los casos de la anorexia, trastornos gastrointestinales, disfunciones menstruales, etc.

> “Algunas dietas ‘milagrosas’ prometen una rápida disminución de peso. ¿El secreto? El uso de técnicas de deshidratación como laxantes, que provocan la pérdida de potasio y desajustes en el sistema nervioso y cardiovascular”.

Algunas dietas usan sustancias que provocan la pérdida de apetito con cócteles hormonales que, al dejar de hacer su efecto, provocarán un efecto rebote que hará que volvamos a alcanzar el peso anterior a la dieta. Además, se han descrito efectos colaterales cómo arritmias o psicosis y, aunque muchos productos ya han sido retirados del mercado, debemos ser conscientes del peligro que comportan.

Además, una excesiva delgadez puede disminuir el rendimiento. Algunas dietas, por ejemplo, incluyen la prohibición de ingerir líquidos y, para un fondista, pueden suponer un deterioro del sistema cardiovascular, trastornos en la regulación de la temperatura o disminución de la concentración de glucógeno.

Dietas muy bajas en calorías seguidas bajo asesoramiento médico pueden ser muy efectivas, pero la clave está ahí: realizarlas bajo la supervisión de un profesional ya que su uso erróneo puede tener consecuencias como fatiga o debilidad, dolores de cabeza o problemas renales entre muchos otros.

Mitos sobre la pérdida de peso

Según la prestigiosa nutricionista Nancy Clark, hay muchas leyendas en cuanto a la pérdida de peso que es necesario aclarar:

El ejercicio provoca una pérdida de grasa corporal. Falso. ✗

Para perder grasa hay que crear un déficit calórico a lo largo del día. Es decir, tenemos que quemar más calorías que las que consumimos. Hacer ejercicio puede contribuir a ese déficit de calorías, pero se suele sobrevalorar como método para reducir la grasa corporal.

Por mucho que se entrene, si después realizamos una ingesta de calorías elevadísima con alimentos ricos en azúcares y grasas saturadas, de poco servirá.

Para perder grasa corporal, hay que hacer ejercicio de baja intensidad. Falso. ✗

Algunos creen que la clave para perder grasa corporal consiste en hacer un ejercicio de baja intensidad que utilice más grasa que glucógeno muscular para obtener energía. No es cierto.

Las investigaciones han demostrado que quemar grasa durante la actividad no influye en la pérdida de grasa corporal. No obstante, puesto que podemos resistir un ejercicio de baja intensidad durante más tiempo que un entrenamiento de alta intensidad, podremos quemar más calorías en, por ejemplo, 60 minutos de carrera lenta (600 calorías) que en 10 minutos de carrera rápida (150 calorías).

Aun así, un estudio sobre 1.366 mujeres y 1.257 hombres indica que los que hacían ejercicio de alta intensidad solían tener menos grasa corporal que quienes practicaban una actividad de baja intensidad. La alta intensidad contribuye realmente a tener un porcentaje más bajo de grasa corporal.

Los hombres pierden peso más fácilmente que las mujeres cuando hacen ejercicio. Cierto. ✓

En términos evolutivos, la naturaleza ha querido que las mujeres tengan grasa y sean fértiles, y que los hombres sean cazadores en buena forma. La naturaleza trabaja duro para proteger los depósitos de grasa de las mujeres e interpreta el déficit calórico excesivo como una fase de privación que hay que soportar.

Para reducir la grasa del estómago y las caderas, debe añadir abdominales al programa de ejercicios. Falso. ✗

La reducción localizada parece una buena idea. Sin embargo, lo cierto es que la grasa localizada en una zona del cuerpo no se puede eliminar sólo mediante ejercicio intenso. Cuando alguien pierde grasa, la pierde de todo el cuerpo, no sólo en la parte que trabaja más intensamente. Además, necesita crear un déficit calórico a lo largo del día a fin de reducir la grasa corporal.

El movimiento muscular por sí mismo no da como resultado una pérdida de grasa. Por ejemplo, un hombre que hacía 1.000 abdominales diarios porque deseaba eliminar la grasa de su abdomen, desarrolló sin duda unos fuertes músculos abdominales, pero no generaba un déficit calórico ni perdió grasa abdominal.

Si se lesiona y no hace ejercicio durante una semana, sus músculos se convertirán en grasa. Falso. ✗

El músculo no se convierte en grasa ni la grasa se convierte en músculo. El músculo y la grasa son dos cosas distintas y no son intercambiables. El tejido graso es una capa de células llenas de grasa que cubre los músculos. El músculo es el tejido rico en proteínas que permite realizar el ejercicio. Cuando hace ejercicio, desarrolla tejido muscular.

Cuando consume menos calorías de las que gasta, disminuye la capa de grasa. Si, debido a una lesión o a una enfermedad, no puede hacer ejercicio, sus músculos perderán tamaño. Si se come en exceso cuando se está lesionado o enfermo provocaremos un desequilibrio calórico positivo que nos engordará.

La celulitis es una clase especial de grasa que aparece después de que una persona haya ganado y perdido peso muchas veces. Falso. ✗

La celulitis es una explicación, actualmente de moda, del aspecto que presenta la grasa prominente, en forma de piel de naranja, que a veces aparece en las caderas, los muslos y el trasero. Aunque se ha escrito mucho sobre la celulitis, se sabe poco sobre ella. Algunos profesionales de la medicina creen que el aspecto abultado y con hoyuelos de la celulitis puede deberse a la disminución del tejido conectivo que separa las células grasas en compartimentos. Si comemos en exceso y llenamos las células grasas, esas pérdidas de tejido pueden hacer que la grasa muestre protuberancias.

Las mujeres se ven afectadas por la celulitis en mayor grado que los hombres, porque su piel es más fina y sus compartimentos de grasa más grandes y redondeados. Las mujeres también tienden a depositar grasa en las caderas, los muslos y el trasero, zonas en las que aparece fácilmente la celulitis.

Además, puede existir una predisposición genética a tener celulitis, y suele aparecer a medida que la persona envejece, porque la piel pierde elasticidad y se hace más delgada.

Pautas saludables para ganar peso en los deportistas

Existen algunas personas que por mucho que coman no engordan. Y no solo eso, algunas de ellas se encuentran claramente por debajo del peso adecuado para la altura que poseen. Diversos son los factores que pueden influir en esa dificultad para ganar peso:

- Genéticos: gasto energético elevado heredado
- Problemas emocionales que se traducen en trastornos alimentarios
- Trastornos físicos con afectaciones en la digestión.

¿Cómo aumentar de peso?

El primer paso para diseñar un programa de aumento de peso es marcarse una meta realizable. Luego, es necesario calcular los requerimientos energéticos que ingerimos con normalidad e ir aumentando la ganancia calórica gradualmente.

La práctica deportiva puede ayudar en ese aumento, principalmente un entreno enfocado a aumentar la masa muscular. Un programa de ejercicios de fuerza realizado durante un año puede permitir una ganancia de hasta el 20% de nuestra masa muscular, mientras que posteriormente el porcentaje se reduce considerablemente.

Es importante la medición de estas ganancias, ya que en caderas y abdomen este aumento debe ser muy reducido, si no indicaría ganancias en grasa. Nuestro objetivo es aumentar la masa en el pecho y en las extremidades.

Algunos buenos consejos para ganar peso son:

- Planificar las comidas y asegurarse de realizar por lo menos tres al día
- Ingerir raciones más grandes de lo habitual
- Evitar grasas malas y sustituirlas por aceite y pescado

- Añadir calorías a los cereales con frutos secos
- Legumbres, hortalizas calóricas cómo brécol o calabaza
- Postres: barritas de cereales con higo, compota
- Bocadillos con nutritivos cómo tentempie.

Los momentos en que ingerimos comida son importantes para ganar peso. Por ejemplo, picar algún alimento rico en hidratos como los cereales o tomar zumos ricos en calorías cómo arándanos o manzana justo antes del entrenamiento nos ayudará a favorecer el crecimiento de los músculos. Un buen impulso para este aumento será también reponer fuerzas inmediatamente después del ejercicio con proteínas que ayuden a la reparación muscular e hidratos para recargar la energía.

Comer antes y después del entreno tiene un efecto beneficioso para ganar masa muscular y, por lo tanto, en el peso. Además, el descanso también se convierte en una herramienta fundamental para el aumento de peso. No nos olvidemos que el aumento de masa muscular corresponde a una fase anabólica, y para que esta fase sea eficiente es importante estar en una fase de reposo.

Suplementación para ganar peso

¿Son necesarios estos suplementos? Depende. El nutriente más importante que se necesita son las calorías que nos permitirán desarrollar los músculos. La mayor parte deberían proceder de los hidratos de carbono ya que nos darán la energía para la actividad deportiva.

Existen muchos mitos respecto a los complementos alimenticios para ganar peso, pero lo cierto es que no nos aportarán nada más que una dieta equilibrada y saludable. Por ejemplo las bebidas vitaminadas, aunque estén muy presentes en los anuncios y corra el rumor de que tienen resultados milagrosos, lo cierto es que no están realmente estudiadas y sus efectos se conocen poco o nada.

Algunos compuestos como la creatina, sustancia que los músculos para generar energía en períodos de esfuerzo intenso, no tienen efectos secundarios negativos pero pueden encontrarse de forma natural en pescado y carne.

El aumento de peso inicial que se suele observar al utilizar creatina se debe a una mayor cantidad de agua, pero a largo plazo el aumento puede ser debido a la masa muscular. Hasta ahora, ninguna organización de medicina del deporte ha recomendado el uso de creatina en individuos menores de 18 años; no se ha comprobado bien su uso en niños en crecimiento.

Peor es el caso de las hormonas. Hay algunas disciplinas deportivas, como el culturismo, en las que está muy extendido su uso para ganar peso. Son los llamados anabolizantes, componentes que favorecen el crecimiento de los tejidos y provocan cambios importantes en el organismo, desconociéndose sus probables riesgos a medio plazo.

La hormona del crecimiento también aumenta la masa muscular, igual que la testosterona, que llega a incrementar la fuerza sin hacer ejercicios específicos para ello. ¿Sus contraindicaciones? Entre sus efectos secundarios se asocian graves trastornos del hígado y cáncer.

Para desarrollar la musculatura puedes encontrar, por otro lado, numerosos complementos de aminoácidos elaborados con proteínas hidrolizadas, casi siempre de origen animal, por ejemplo las caseínas de la leche. Así que cabe recordar que los productos animales suelen arrastrar residuos de hormonas y otros contaminantes.

Una buena alternativa a estos complementos proteicos son:

- Seitán: producto dietético realizado con el gluten del trigo. Sin grasa. Aunque el gluten cada vez más está asociado a trastornos intestinales e inflamatorios.
- Tempeh: producto fermentado de soja.
- Tofu: queso elaborado con soja.
- El polen: elaborado por las abejas, contiene aminoácidos libres.
- Alfalfa germinada: contiene todos los aminoácidos esenciales.
- Levadura de cerveza: aporta vitaminas del grupo B y cromo-GTF (factor de tolerancia a la glucosa).
- Granos de las legumbres como el garbanzo o el azuki; o de los cereales como el trigo sarraceno o la quinoa, contienen también todos los aminoácidos esenciales.
- Glutamina: se encuentra en cantidades importantes en el zumo de col. Es el aminoácido mayoritario en el músculo y su concentración influye en una mayor velocidad de síntesis de proteína muscular.

Además, si eres culturista deberías introducir en tu dieta alimentos ricos en vitaminas A y E. La vitamina A (algas nori, zanahorias, calabaza...) mantiene la piel tersa y la E (aceites vírgenes, nueces, avellanas, semillas de sésamo...) evita la distrofia muscular.

Proteínas para ganar peso

La suplementación proteica suele ser habitual, ya que los alimentos con más proteínas como huevos o carne se consideran demasiado ricos en grasa.

Aun así, la mayor parte de suplementación es de baja calidad y con muchos químicos añadidos, así que es mejor probar alternativas más saludables.

Hay algunas carnes que presentan muy poca grasa como la de caballo, con un 2%, muy lejos del 30% de la del cerdo. Y, en cualquier caso, la proteína vegetal siempre es más recomendable que la de origen animal y podemos encontrar numerosos productos que nos aseguren su aporte como hemos visto.

Y, aunque está muy extendido el mito que la mejor forma de aumentar peso es llevar una dieta muy rica en proteínas, la realidad es otra. El organismo no almacena el exceso de proteínas en forma de grandes músculos. Un filete de 500 gramos no se transforma en unos bíceps más grandes. Lo que necesitamos son calorías extras y esas calorías deben proceder principalmente de los HC, que alimentan los músculos para realizar ejercicio de fuerza intenso y aumentar, así, su tamaño.

El truco para ganar peso es ingerir de forma constante raciones más grandes de lo normal en tres comidas, más uno o dos tentempiés al día. De hecho, si uno está muy ocupado, encontrar el momento idóneo para comer puede ser la mayor dificultad.

Recomendaciones para el desarrollo muscular:

- Llevar comida a mano para consumir en cualquier momento.
- Limitar la ingesta de grasas malas y concentrarse en las buenas: nueces, aguacate, almendras, aceite de oliva, de sésamo o de pescados salvajes, siempre que sea posible, evitando abusar mucho de los grandes como el atún, que acumulan muchos contaminantes como el mercurio.

- Cereales fríos: que sean densos, no inflados como granola, muesli, *grape-nuts*... Añade nueces, pipas o pasas.
- Cereales calientes: con leche en lugar de agua y con añadidos como leche en polvo, tahín, nueces, pipas, germen de trigo.
- Bocadillos: pan denso, no esponjoso. Con salvado, brotes de trigo, etc.
- Sopas: añadiendo legumbres.
- Carnes: reducir las carnes ricas en grasas saturadas.
- Legumbres: lentejas, garbanzos, judías, guisantes, azukis.
- Hortalizas: maíz, zanahorias, calabaza o remolacha son más calóricas.
- Ensaladas: añadir frutos secos, semillas, legumbres, atún o aliños especiales.
- Postres: galletas de pasas con harina de avena, barritas de higo, compota de frutas.
- Tentempiés: en lugar de un tentempié pequeño, un segundo almuerzo.

Repetir en la cena.

Comer en el momento adecuado

> “Lo que nos hace ganar masa muscular es el entrenamiento de fuerza y para entrenar fuerte hay que tener energía en los músculos. Energía de los hidratos de carbono. Y así las proteínas harán después su función de recomponer nuestras fibras musculares y hacernos ganar músculo”.

Para ganar peso, necesitamos tomar alimentos correctos en el momento adecuado para comer bien y optimizar el crecimiento muscular:

- Recargar energía antes del entrenamiento de fuerza con un tentempié rico en HC y proteínas como el yogur o un tazón de cereales con leche de almendras o de avena. El tentempié se digerirá y se convertirá en glucosa para aportar energía y en aminoácidos para proteger los músculos.
- Recargar energía inmediatamente después con más proteína para que los músculos se recuperen, y con más HC para reponer los depósitos de glucógeno vacíos.
- Comer al menos cada 4 horas: desayuno, media mañana, comida, merienda y cena. Cuando los niveles de aminoácidos en sangre están por encima de lo normal, los músculos absorben más cantidad, lo cual mejora el crecimiento muscular.
- Por otro lado, debemos tener en cuenta el aporte suficiente de vitamina B6 ya que, cuantas más proteínas ingerimos, más aumentarán sus necesidades.
- Registra todo lo que comes durante varios días a fin de valorar tu dieta habitual, y después piensa cómo introducir más calorías tal y como hemos visto en el apartado anterior.

En resumen, si queremos incrementar un 20% las calorías de nuestra dieta diaria deberemos satisfacer esa cantidad a través de hidratos de carbono y proteínas.

- **Hidratos de carbono:** el consumo ideal de hidratos es de 6 a 10 gramos por kilogramo de peso corporal (límite en que el músculo se satura de glucógeno). Esta recomendación supone que del 55% al 65% por ciento de las calorías deben proceder de granos, frutas, hortalizas y otros alimentos similares.
- **Proteínas:** el consumo ideal de proteínas, como veremos más adelante, es de 1,5 a 2,0 gramos por kilogramo de peso corporal. Lo que supone del 12% al 15% del total de nuestra dieta.

Si aumentamos de 500 a 1.000 calorías más al día, y hacemos un entrenamiento de fuerza-resistencia con pesas y flexiones, por ejemplo, se debe notar algún aumento de peso. Si este incremento no se produce, quizás nos encontramos ante un metabolismo en el que sea complicado aumentar de masa muscular de una forma sencilla. El modo de averiguarlo es fácil: fijarse en los miembros de la familia para ver qué tipo de físico se ha heredado. Si todos son delgados, posiblemente estemos ante una cuestión genética. En este caso, deberemos ajustar los objetivos para que sean mucho más razonables.

En edad de crecimiento. Proteínas para crecer más

Ninguna cantidad adicional de proteínas acelerará el proceso de crecimiento. Los chicos suelen crecer más rápido cuando tienen de 13 a 14 años. Cuando se acelere su crecimiento, tendrán suficientes hormonas masculinas para añadir masa muscular y para que les crezca la barba. Este acelerón del crecimiento dura más tiempo en los chicos que en las chicas, y ellos después siguen creciendo lentamente hasta los 20 años.

Cálculo de nuestras necesidades proteicas

Para ajustarnos a un consumo recomendable de proteínas es necesario seguir una sencilla tabla que, según el tipo de deporte que practiquemos, nos indicará cuáles son nuestras necesidades.

Tipo de actividad física	Proteínas g/kilo peso/día
Personas adultas no deportistas	0,8 - 1,0 g
Deportistas de resistencia	1,2 - 1,5 g
Deportistas de fuerza y resistencia	1,5 - 1,7 g
Deportistas de resistencia y velocidad	1,5 - 1,8 g
Deportistas de fuerza	1,5 - 2,0 g
Deportistas de fuerza adolescentes edad crecimiento	2,0 - 2,5 g

La base de nuestra alimentación deben ser los hidratos de carbono. Una dieta en exceso proteica no deja espacio para lo que realmente nos da energía y, además, causa problemas diuréticos, ya que las proteínas desencadenan ganas de orinar frecuentes.

Por otro lado, el déficit de proteínas tampoco es bueno y en mujeres puede provocar amenorrea o ausencia de menstruación, una dolencia que aumenta las posibilidades de sufrir fracturas. Debemos asegurar nuestro aporte proteico y, en caso de no querer comer carne, consumir legumbres suficientes, ya que tienen una menor concentración de proteínas que los productos animales.

4 La elección de los mejores alimentos para el deporte

Alimentación actual del deportista

¿Somos lo que comemos?

Los alimentos que ingerimos nos aportan los nutrientes necesarios para el funcionamiento de nuestro cuerpo:

- Crecimiento, reparación de tejidos: proteínas
- Aporte de energía y almacenamiento: glúcidos y grasas
- Regulación del funcionamiento del organismo: vitaminas y sales minerales.

Nuestro organismo se regenera a partir de los alimentos que introducimos en él.

¡Somos lo que comemos! Si introducimos alimentos de buena calidad, nuestras células tendrán un buen sustrato para su recomposición. Pero no es tan sencillo, en el proceso digestivo surgen toda una serie de reacciones que lo condicionan.

Una vez comemos el alimento tenemos que digerirlo. Según como sea nuestra capacidad digestiva, se verá afectado el siguiente paso,

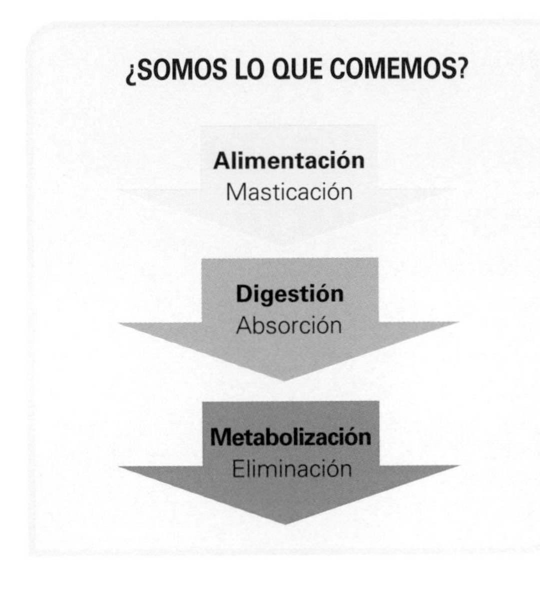

la absorción. Por muy buenos alimentos que comamos si no tenemos buenas digestiones que nos permitan absorber bien estos nutrientes no estaremos alimentándonos correctamente.

Por otro lado, también es imprescindible que la eliminación de los desechos de los alimentos funcione de modo óptimo. Si no, estaremos cargando nuestro organismo de tóxicos que provocarán complicaciones en nuestra salud.

Así que: «Somos lo que absorbemos de los alimentos que comemos y somos la capacidad de eliminar sus desechos del organismo».

¿Qué comemos los deportistas?

Actualmente, la alimentación del deportista sufre de los mismos males que la de las sociedades occidentales: abuso de azúcares y cereales refinados, grasas saturadas, comidas procesadas y altas en sal.

Un contexto que favorece el exceso de proteínas y reduce el consumo de frutas, verduras, legumbres y cereales integrales.

Por todo ello, la salud del deportista se resiente y su rendimiento lo padece. Y no sólo eso; ciertas enfermedades se vinculan a la dieta. Según el experto en nutrición Dr. Melvin William, la alimentación de muchos deportistas está por debajo de la Cantidad Diaria Recomendada (CDR).

RIESGOS DE LA ALIMENTACIÓN MODERNA EN EL DEPORTE

- Azúcares y cereales refinados
- Abuso de grasas animales saturadas
- Sal cruda en *snacks*
- Excesivo aporte proteínico
- Comidas hipercalóricas
- Aditivos químicos y comidas preparadas
- Extracción de aceites vegetales en caliente y con disolventes
- Grasas artificiales (margarinas)
- Bebidas gaseosas azucaradas o edulcoradas
- Estimulantes: café, té, cacao...
- Caída del consumo de verduras, frutas, legumbres y cereales integrales.

Esta es la conclusión a la que llegó un estudio que registró la ingesta de un gran número de atletas durante un periodo de tres a siete días, para su posterior análisis informático. El objetivo era comparar la cantidad consumida con la CDR de cierto número de nutrientes. Si bien algunas disciplinas deportivas como el fútbol y los deportes de fuerza mostraron una alimentación adecuada, otras muchas como la danza, el baloncesto, el bodybuilding, la gimnasia, el esquí, la natación, el triatlón o la lucha, revelaron una dieta insuficiente.

En general, las mujeres suelen presentar mayores deficiencias nutricionales que los hombres, especialmente en el hierro, debido a la menstruación, y en el cinc, el calcio, las proteínas, y algunas de las vitaminas del grupo B, a causa de una dieta excesivamente baja en calorías.

Por otro lado, los grupos deportivos más susceptibles de padecer una deficiencia nutricional son aquellos que necesitan perder peso para participar en una competición deportiva. Aunque parezca sorprendente, muchos deportistas de resistencia consumen una dieta deficiente en hidratos de carbono, un nutriente que mejora el rendimiento deportivo sobre todo en aquellos deportes que requieren una rápida recuperación entre sesiones.

Además, la alimentación moderna se asocia, cada vez más, con diferentes trastornos que agravan estas deficiencias. Así que son precisas algunas puntualizaciones sobre cómo la ingesta errónea de alimentos puede afectar a nuestra salud.

Cereales

Los cereales son la principal fuente de hidratos de carbono para el organismo, pero no todo vale. Los transgénicos actuales y los cereales refinados (sin cáscara) provocan problemas en la digestión, migrañas, dermatitis, diabetes, enfermedad de Crohn (el propio sistema inmunitario ataca al intestino), poliartritis reumatoide o alergias como la celiaquía.

Nuestro cuerpo requiere carbohidratos sin refinar: cereales integrales que supongan un buen aporte nutritivo y energético e indispensables para controlar el nivel de glucosa. El refinado, al contrario, provoca un aumento brusco de la glucosa y, para absorberla y evitar daños en los vasos sanguíneos, el organismo segrega insulina. Músculos e hígado almacenan una pequeña parte en forma de glucógeno, ¿y el resto? Sin actividad deportiva se convierte en grasa.

Azúcar

Los azúcares presentes en la mayor parte de alimentos refinados provocan muchos daños en nuestro organismo:

- Deficiencia de vitaminas y minerales
- Acidificación de la sangre, que desemboca en problemas óseos al utilizar nuestro organismo su calcio para combatir el exceso de ácido, por lo que resulta perjudicial para el crecimiento
- Reducción de nuestras defensas
- Incremento de la grasa: exceso de material calórico que se incrusta en los depósitos de grasa
- Hipoglucemias reaccionales: el exceso de azúcar viene seguido de una depresión mental y de cansancio físico. En los niños provoca hiperactividad.

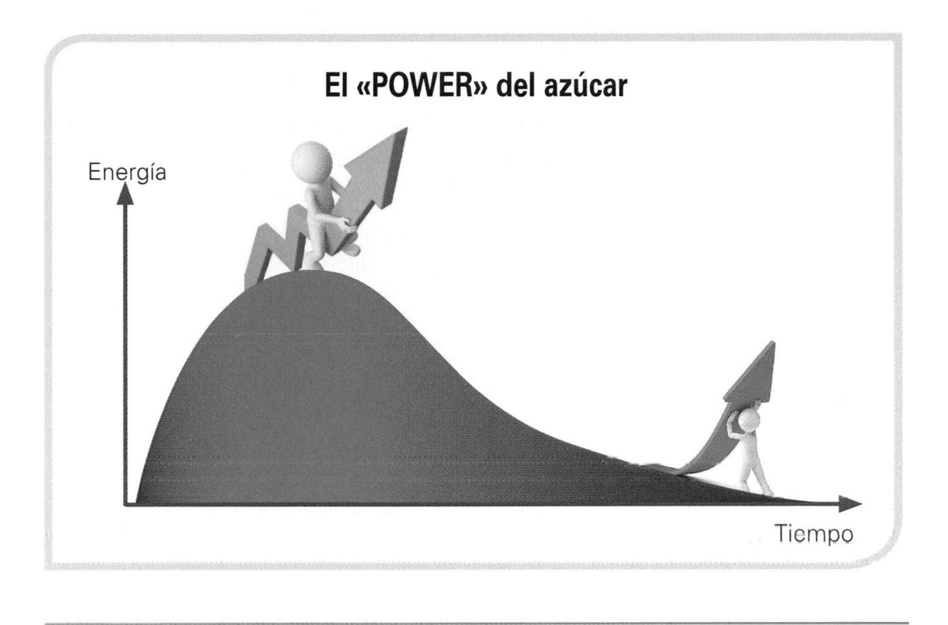

El peligro de los edulcorantes artificiales

Algunos edulcorantes artificiales consumidos en exceso podrían provocar daños en nuestro organismo. Como el aspartamo, utilizado en alimentos dietéticos. En cantidades elevadas podría ser neurotóxico y poner en riesgo el feto en mujeres embarazadas; además de provocar daños cerebrales y ser altamente adictivo. Aun así, se encuentra en muchos productos como las colas *light*, galletas o bollería y, aunque ha sido prohibido en Estados Unidos, se sigue utilizando en España.

La sacarina también está prohibida en Canadá, por ser un derivado del alquitrán, y los ciclamatos han sido vetados en Inglaterra y Japón por sus efectos cancerígenos. Lo mejor es recurrir a dulces naturales para endulzar cereales o frutas como la stevia, el concentrado de manzana o la miel de buena calidad.

Lácteos

A veces nos sorprendemos de la gran cantidad de intolerancias alimentarias que existen actualmente. Una de las más extendidas es la intolerancia a la lactosa que sufre entre un 11 y un 15% de la población española. ¿Cómo es posible? Muy simple. No es que ahora toleremos peor la leche de vaca sino que nuestra especie nunca ha tenido buena predisposición para absorberla. La naturaleza ha diseñado la leche de los animales para alimentar a los de su especie hasta el destete. Una vez perdida la lactancia ningún otro mamífero toma leche. Y de hecho, esta ha sido la práctica en algunas poblaciones cómo las de Oriente Medio hasta hace bien poco.

Otro gran inconveniente que se le adjudica a la leche es el poder alérgeno de sus proteínas. En la actualidad existen muchas reacciones inmunitarias causadas por estas proteínas que desencadenan alergias.

En general, los problemas que provoca el consumo de leche son diversos: exceso de mucosidades, sobrecarga de grasas saturadas y trastornos de hígado, además de favorecer la osteoporosis o problemas en el sistema inmunitario. Como alternativa existen fuentes naturales de calcio como algas y verduras, frutos secos, legumbres y semillas como la de sésamo.

Grasas

Muchos lácteos como los quesos y las mantequillas contienen un exceso de grasas saturadas de difícil digestión que provocan sobrecarga hepática, además de ser considerados cancerígenos por la Organización Mundial de la Salud (OMS) y provocar el aumento del colesterol. Por ello es mejor recurrir a quesos frescos, que tienen una concentración de grasas más reducida que los curados o a yogures bajos en grasa. Las mantequillas pueden sustituirse también por aceite de oliva, aguacate o crema de sésamo ya que productos como la margarina y las grasas, al ser hidrogenados, se convierten en grasas trans tóxicas que alteran las funciones de la células y pierden las propiedades de la omega 3 y 6.

Todos los aceites y grasas que han pasado por altas temperaturas son dañinos para nuestra salud. Aunque los aceites poliinsaturados son buenos, al ser sometidos a procesos industriales se convierten en tóxicos y pueden encontrarse en bollería, galletas, pastas y gran cantidad de productos del mercado.

Soja

La soja amarilla tiene su origen en China donde se consideraba de mala calidad. Un derivado suyo, la lecitina, se usa en miles de productos alimentarios a pesar de interferir en la absorción del yodo y del hierro. Además, la mayor parte de la soja que se comercializa en la actualidad es transgénica y puede provocar alteraciones hormonales.

La alternativa es el consumo de alimentos fermentados procedentes de soja no manipulada genéticamente. El tofu debe tomarse bien cocinado para eliminar sus propiedades antinutritivas y es rico en isoflavonas estrogénicas, por lo que mujeres con antecedentes familiares de cáncer de pecho deberían ser cautas en su consumo.

En cambio fermentados de la soja como el miso o la salsa de soja favorecen la digestión y la alcalinización del organismo (siempre que sea de origen bio, ya que los de origen industrial se basan en el glutamato sódico y ácido clorhídrico, nada saludables para nosotros).

Poblaciones longevas

Frente a los numerosos problemas que plantea la alimentación moderna, la OMS ha analizado la esperanza de vida de las poblaciones más longevas del mundo. En Ecuador, el Himalaya, el Cáucaso y Japón, han encontrado pequeños grupos de población que superan ampliamente la media mundial con calidad de vida, sin enfermedades y en plenitud de facultades mentales.

¿Su secreto? Una dieta basada en vegetales en un 90%. Las proteínas animales, además, sólo proceden de lácteos fermentados, siendo las calorías proteicas muy bajas (no más del 15%). Además, desconocen los alimentos procesados y el azúcar refinado y su consumo de sal es muy bajo. Y, por supuesto, su vida se basa en el movimiento: activan sus más de 300 músculos al día para realizar sus tareas.

SECRETOS DE LAS POBLACIONES MÁS LONGEVAS DEL MUNDO

- Consumo de alimentos vegetales del 90-99%
- Carbohidratos complejos entre el 65-75%
- Proteínas entre el 10-15%
- Uso de productos ecológicos: sin pesticidas ni herbicidas
- Productos locales y de estación
- Buena calidad de agua y aire purísimo
- Ejercicio físico
- La edad se considera un valor añadido.

Pautas nutricionales del deportista

Frente a los numerosos problemas provocados por la alimentación moderna, en 1991, la Organización Mundial de la Salud estableció un marco para llevar una dieta sana; unas indicaciones generales que son válidas, también para un deportista que, luego, deberá ajustarla a sus necesidades específicas.

- **Ácidos grasos saturados:** casi supresión; eliminación de la carne de nuestra dieta base y limitación de huevos y lácteos. En el caso de los huevos, se está valorando que si su procedencia es buena podemos tomar de forma más frecuente sin que afecte a nuestro colesterol. Incluso algunos expertos empiezan a recomendar su consumo diario como una escelente-fuente de proteínas de muy alto valor biológico, de ácidos grasos esenciales y de vitaminas y minerales.
- **Ácidos grasos poliinsaturados:** ingesta mínima necesaria en pescado, aceites vegetales y en legumbres, semillas, cereales en grano y algas.
- **Carbohidratos complejos:** cereales integrales y legumbres y verduras dulces. Eliminación de carbohidratos refinados (bollería, pan y arroz blanco) y limitación de los cereales ricos en gluten.

- **Fibra:** necesaria para favorecer un correcto tránsito intestinal.
- **Azúcares libres:** poca cantidad de fructosa y miel. Evitar edulcorantes artificiales.
- **Proteínas:** ingesta limitada.
- **Verduras:** fuente de vitaminas. No abusar de cocciones muy fuertes (brasas, frituras y horno por encima de 180 grados).
- **Sal:** reducción del consumo.

	Límite inferior	**Límite superior**
Ácidos grasos saturados	0%	10%
Ácidos grasos polisaturados	3%	7%
Colesterol en dieta	0 mg/día	300 mg/día
Carbohidratos totales	55%	75%
Carbohidratos complejos	50%	70%
Fibra dietética total	17 g/día	24 g/día
Azúcares libres	0%	10%
Proteína	10%	15%
Sal	0	5 g/día

Fuente: OMS (Organización Mundial de la Salud)

Macro y micronutrientes

Para el correcto funcionamiento del organismo son necesarios:

- Proteínas
- Hidratos de carbono o glúcidos
- Lípidos
- Vitaminas
- Minerales.

Proteínas

Moléculas formadas por cadenas de aminoácidos con propiedades fundamentales para nuestro funcionamiento. Algunos aminoácidos, los llamados esenciales, los debemos incorporar con la dieta.

En los deportistas, las proteínas tienden a degradarse más rápidamente que en una persona sedentaria, por ello, los atletas las deben ingerir en mayor cantidad. Además, potencian el desarrollo y el rendimiento de nuestros músculos y contribuyen a la movilización de los depósitos de grasa. Al aumentar nuestro tejido muscular, el metabolismo se vuelve más activo y requiere más energía, lo que provoca mayor movilización de las reservas de grasa para generarla.

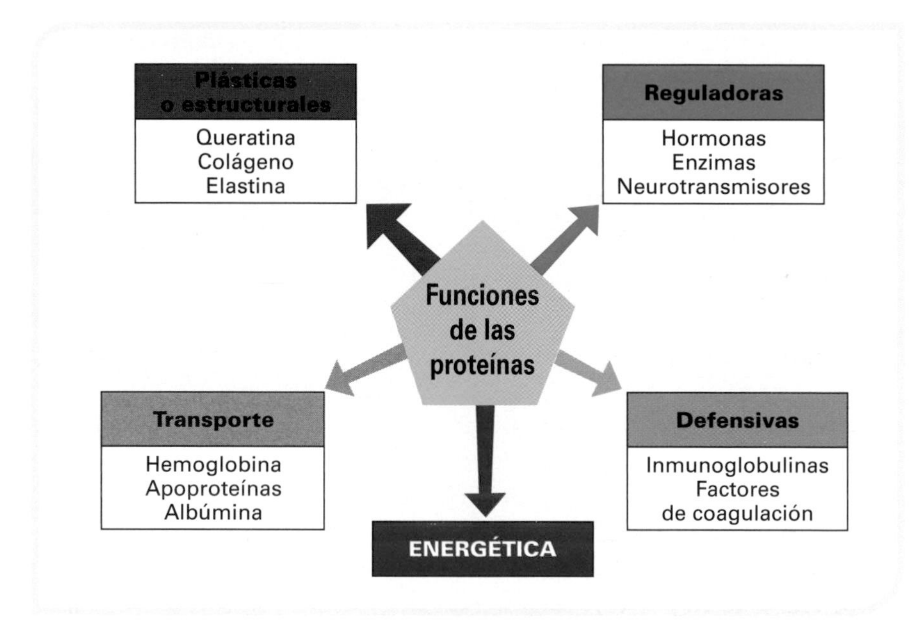

Al contrario que las grasas, las proteínas no se almacenan y sus sobrantes se eliminan por la orina, junto con el nitrógeno producto de la degradación proteica. Este residuo deberá ser asimilado por el riñón, por lo que en patologías como la insuficiencia renal deberemos limitar la ingesta de proteínas.

A pesar de la creencia popular, la carne no es indispensable para obtener proteínas, pudiendo acceder a ellas gracias a pescados, legumbres y cereales integrales. Junto con el duro entrenamiento, consiguen crear más músculo. Las proteínas animales y vegetales tienen sus ventajas e inconvenientes, aunque son mayores los beneficios de las proteínas de origen vegetal, pese a que suelen tener algún déficit de aminoácidos.

	Proteína animal	Proteína vegetal
Ventajas	• Buena digestibilidad • Alto valor biológico • Buena asimilación hierro	• Son menos acidificante • Contienen más minerales, vitaminas y antioxidantes • Menos purinas • Tienen fibra • En los intestinos fermentan, no se pudren • Grasas insaturadas • No sobrecargan el hígado
Contras	• Son acidificantes • Muchas purinas: ↑ ácido úrico • Pocas vitaminas y minerales • Contienen grasas saturadas • Colesterol • Son más caras • No contienen fibra • Sobrecargan el hígado y riñones • Añadir inconvenientes de los animales tratados con hormonas y antibióticos	• Peor digestibilidad • Bajo valor biológico • Puede existir intolerancia al gluten • Mala absorción del hierro • Su metabolismo produce urea

En cualquier caso, deberíamos obtener un equilibrio entre proteínas de origen animal y vegetal y, sobre todo, no abusar de alimentos de origen animal ricos en grasas saturadas y en elementos tóxicos como las carnes procesadas.

También sería importante que se trate de proteínas de calidad, procedentes de granjas y cultivos ecológicos o cuyo origen conozcamos. Esta calidad será determinada por la cantidad de aminoácidos y por lo fáciles de digerir que sean para nuestro organismo.

Proteínas para musculación

La mayoría de los culturistas están obsesionados con el aporte proteico y, si bien es cierto que necesitan un aporte mayor que otros deportistas, lo fundamental sigue siendo la carga de trabajo. Estos ejercicios de musculación pueden ir acompañados de una pequeña ingesta de proteínas antes y después de su realización.

Por supuesto, es indispensable que la dieta vaya acompañada de hidratos que te aporten energía para realizar los ejercicios. Para crear músculo hay que entrenar muy fuerte y para ello necesitamos energía de los hidratos de carbono.

Déficit y exceso de proteínas

Tanto la falta de proteínas como su exceso provocan problemas en nuestro organismo. El déficit provoca dificultades en el crecimiento así como anormalidades en pelo, uñas, piel y músculos. El exceso también supone varias complicaciones:

- Acidificación interna y su consecuente pérdida de calcio
- Cetosis al recurrir a los aminoácidos como fuente energética
- Acumulación de péptidos en la membrana capilar que impide nutrir los tejidos
- Exceso de urea y ácido úrico derivados de la sobrecarga renal.

En general, la alimentación occidental abusa de las proteínas y el abuso sucede también en los atletas, sobre todo en los que realizan musculación que llegan a duplicar la máxima cantidad recomendada para casos como los luchadores o levantadores de peso.

Además, muchos de ellos se centran en obtener proteínas de calidad, como leche y carnes y embutidos, ya que contienen más aminoácidos, abusando así de estos alimentos. Lo cierto es que consumiendo vegetales como los cereales y las legumbres, sus aminoácidos se combinan formando proteínas de excelente calidad y obteniendo el aporte necesario.

> “La Organización Mundial de la Salud establece que un adulto necesita 0,7 g/kg/día de proteínas, cantidad que en un niño se eleva hasta 1 g/kg/día y llega hasta 2 g/kg/día en un adolescente. Para un atleta profesional el aporte proteico se sitúa en 1,2-1,6 g/kg/día, pudiendo llegar a 2 en casos de deportes de fuerza y musculación muy específicos”.

Algunos ejemplos son muy claros:

- Arroz con lentejas
- Arroz con guisantes
- Trigo con garbanzos
- Maíz con frijoles.

En general, no es necesario recurrir a la suplementación proteica. Consumiendo lentejas, guisantes, pescado o ave podremos obtener fácilmente lo que necesitamos.

Proteínas para vegetarianos

En el caso de atletas que no tomen alimentos de origen animal hay que tener en cuenta que las proteínas vegetales son un recurso proteico menos concentrado. Así, habrá que tomar raciones más generosas, ejemplos:

- ½ taza de alubias → 6 g de proteínas
- ¼ pastel de tofu → 6-8 g de proteínas
- 2 cucharadas de mantequilla de cacahuete → 7-8 g de proteínas

---

Tipo de actividad física	Proteínas g/kilo peso/día
Personas adultas no deportistas	0,8 - 1,0 g
Deportistas de resistencia	1,2 - 1,5 g
Deportistas de resistencia y velocidad	1,5 - 1,7 g
Deportistas de fuerza	1,5 - 2,0 g
Deportistas durante entrenamientos de fuerza	2,0 - 2,5 g

Hidratos de carbono

Los hidratos de carbono son la principal fuente de energía de nuestro organismo. Además, muchos de los alimentos ricos en hidratos de carbono como los cereales (arroz, avena, mijo, centeno, cebada, etc.) también realizan funciones estructurales ya que contienen aminoácidos.

Hidratos de carbono: índice glucémico

El índice glucémico es una escala para clasificar los alimentos que contienen hidratos de carbono de 0 a 100 según el pico de glucosa en sangre que provocan a las 2 horas de su ingesta. Este índice nos indica la rapidez de digestión de los distintos hidratos

- Muy rápida: zumos de frutas, miel, azúcar.
- Rápida: piezas de fruta, pan y harinas blancas
- Lenta, cereales integrales, verduras, legumbres

HC de IG elevado	
Glucosa	100
Fécula de patata	95
Almidón de maíz	95
Patatas al horno	95
Patatas fritas	95
Harina de arroz	95
Puré de patatas	90
Pan blanco de Burger	85
Zanahoria cocida	85
Arroz de cocción rápida	85
Calabaza	75
Sandía	75
Azúcar (sacarosa)	70
Pan blanco (*baguette*)	70
Cereales azucarados refinados	70
Leche de arroz	70
Colas, sodas	70
Galletas	70
Pan moreno	65
Melón	60
Espaguetis blancos cocidos	55

HC de IG medio y bajo	
Arroz integral	50
Arroz basmati largo	50
Guisantes en conserva	50
Cereales integrales sin azúcar	45
Pan de centeno integral	45
Pastas integrales al dente	40
Copos de avena crudos	40
Trigo sarraceno	40
Pan 100% integral	40
Judías pintas	35
Higos secos, albaricoques secos	35
Maíz	35
Arroz salvaje	35
Quinoa	35
Zanahorias crudas	30
Lentejas	30
Mermelada sin azúcar	22
Fructosa, sirope de agave	20
Aguacate	20
Soja	15
Cebolla, lechuga, calabacín, puerro...	15

Un índice glucémico alto indicará un mayor incremento de glucosa en sangre. Esta cifra se basa en una cantidad de 50 gramos de cada alimento, lo que puede no significar un consumo real. Por lo que será mucho más ajustado y real la «carga glucémica» que tienen los alimentos.

Carga glucémica

Es el índice glucémico multiplicado por la cantidad de carbohidratos que contiene un alimento y dividido por cien. Cuanto menor sea la carga glucémica menor será el incremento de glucosa en sangre que provocará. Se considera una carga glucémica baja 10 o menos y una alta 20 o más.

	Alimento	**CG**	**IG**
Carga glucémica ALTA	Pasas	28	64
	Galletas de trigo no integrales	25	72
	Macarrones	23	47
	Cereales azucarados	21	81
Carga glucémica MEDIA	Miel	18	87
	Pan	15	95
	Patata hervida	15	75
	Bebidas isotónicas	13	74
	Barritas energéticas	13	70
Carga glucémica BAJA	Pan multicereales	8	54
	Piña	8	60
	Cereales con fibra	8	42
	Kiwi	6	53
	Naranja-manzana	5	40
	Lentejas	5	30
	Cacahuetes	1	14

Necesidades nutricionales en el ejercicio físico y en el deporte

Hidratos de carbono complejos

Los hidratos de carbono complejos o de absorción lenta son los más adecuados para el organismo ya que su digestión progresiva permite obtener una corriente constante de energía durante todo el día. Se trata, en cierto modo, de nuestro combustible diésel.

Además, al ser integrales, conservan un sinfín de nutrientes y de sustancias muy necesarias para que nuestro organismo mantenga un buen equilibrio en la lucha contra los procesos oxidativos, los radicales libres; consiguiendo recuperarse antes de los esfuerzos.

Dónde los encontramos:

- Cereales:
  - Trigo, centeno y cebada (contienen gluten) avena (puede contener gluten si en su procesamiento ha sido manipulada en la misma maquinaria que manipulan los otros cereales)
  - Arroz, maíz y mijo
- Legumbres: lentejas, garbanzos, judías, guisantes
- Granos: quinoa, trigo sarraceno
- Hortalizas crudas o poco hechas
- Castañas, calabazas
- Tubérculos: patatas, boniatos, yuca.

Hidratos de carbono simples

Dónde los encontramos:

- Frutas:
  - Ácidas: cítricos, fresa, piña
  - Semiácidas: manzana, pera,ciruela, melocotón, cereza
  - Dulces: plátano, uva, higo, melón, sandía
- Otros: miel, azúcares morenos, azúcares refinados.

Estos hidratos de carbono no deberían ser la base de nuestro aporte total de este nutriente ya que su absorción es mucho más rápida, aunque esto no quiere decir que debamos prescindir de ellos. Debemos vigilar su procedencia, eso sí. Todos sabemos los beneficios que nos aporta la fruta a los deportistas y no tiene que ver con los azúcares de la bollería industrial.

La fruta nos aporta un sinfín de vitaminas, fibras, enzimas, etc. y el concentrado de azúcares es mucho menor, al ser las frutas, en general, muy ricas en agua. En el segundo caso, en cambio, estamos hablando de azúcar refinado, muy concentrado y pobre en nutrientes de calidad. En la mayoría de los casos también está lleno de grasas saturadas... ¡No hay color!

También hay que saber diferenciar el momento en que debemos tomar hidratos de carbono simples. Como hemos dicho, la base de nuestra energía la obtendremos de los hidratos de carbono complejos (40-50% de la dieta) y de un 5-10% de los simples. Ahora, en el momento en que precisemos de una energía más rápida, los hidratos simples nos la darán; durante un duro entrenamiento o competición, iremos reponiendo energía con ellos.

Todos los alimentos ricos en hidratos que hemos visto, tanto simples cómo complejos, tienen su propio índice y carga glucémicas, pero hay factores que pueden incidir en estos indicadores.

- Variedad: algunas variedades de arroz tiene el índice glucémico bajo, al 50, mientras que en los arroces glutinosos aumenta hasta el 70.
- Cocción: en algunas verduras el índice glucémico se incrementa con la cocción.
- Transformación: las palomitas aumentan el índice glucémico del maíz, por ejemplo, y el índice varía según cómo está tratada la pasta.
- Fibras y proteínas: féculas cómo las lentejas, suelen tener un índice glucémico más bajo que otras como las patatas.

La dieta de hidratos para el deporte

Son una parte esencial de la dieta del deportista. Su carga glucémica no debe ser muy elevada, ya que la digestión de alimentos de índice glucémico elevado puede provocar hipoglucemia. Al pasar muy rápido a la sangre provocan la segregación de mucha insulina, lo que puede dejar muy bajos los niveles de glucosa en sangre.

Por eso, como norma, es preferible que sean integrales ya que su absorción es más lenta y conservan todas sus propiedades. La presencia importante de hidratos de carbono en la alimentación del deportista mejora sus reservas de glucógeno, factor indispensable para alargar la duración e intensidad del esfuerzo.

Grasas

Las grasas o lípidos son compuestos orgánicos formados por carbono, hidrógeno y oxígeno que tienen por característica común el hecho de ser insolubles en agua. Suministran energía aunque realizan otras muchas funciones:

- Depósito de energía
- Creación de estructuras

- Metabolismo: hormonas, prostaglandinas
- Protección mecánica y térmica.

Las grasas son un grupo muy diverso de moléculas:

- **Ácidos grasos saturados:** presentes en la grasa de las carnes, embutidos, productos lácteos enteros. Elevan el nivel de colesterol malo y su abuso se considera que aumenta el riesgo de sufrir enfermedades.
- **Ácidos grasos monoinsaturados:** aceite de oliva. Es esencial: disminuye el colesterol en sangre y reduce el riesgo de enfermedades coronarias.
- **Ácido graso poliinsaturado:** se encuentra en pescados azules y vegetales como el lino, las nueces o las semillas de calabaza.
- **Triglicéridos:** están presentes en carnes y mantecas, aunque también en el alcohol. Su exceso puede provocar problemas cardiovasculares e incrementar el riego de infarto.
- **Colesterol:** la encontramos en vísceras, huevo, marisco, embutido y carnes. Aunque es una sustancia fundamental para regular el paso de sustancias celulares, su elevado nivel en sangre es perjudicial.

Aceite de coco

Muy buena fuente de grasas saturadas: no incrementa el colesterol ni afecta al sistema cardiovascular. Llega directamente a los tejidos para ser utilizada como energía sin convertirse en depósitos de grasa, por lo que ayuda a mantener la energía sin kilos de más. Contiene también vitamina E, K y antioxidantes. Debe ingerirse aceite de coco virgen obtenido en frío.

Ingesta de grasas

A pesar de las numerosas contraindicaciones para el consumo de grasas, lo cierto es que se trata de unas sustancias indispensables en nuestra dieta. Es importante asegurar el aporte de ácidos grasos esenciales ya que no pueden ser sintetizados, sobre todo los famosos omega 3 y omega 6.

Beneficios de los omega 3 y omega 6

- Previenen enfermedades coronarias y accidentes cerebrovasculares reduciendo los niveles de colesterol y triglicéridos
- Mejoran la elasticidad de los vasos sanguíneos e impiden la acumulación de depósitos grasos dañinos en las paredes arteriales
- Contribuyen al desarrollo cerebral y ocular
- Previenen la enfermedad de Alzheimer.

El problema en las sociedades occidentales es el abuso del consumo de grasas, que rebasa, sobradamente, el límite del 35%, además de ser, principalmente, de origen animal. Debemos realizar un consumo moderado de carnes rojas y procesadas para evitar el desarrollo de enfermedades cardiovasculares o de cáncer.

Ingesta de grasa

30-55% de la energía total de la dieta. De esta:

< 10% en forma de grasa saturada

> 10% de grasa monoinsaturada

< 10% de grasa poliinsaturada

Colesterol < 300 mg/día

Algunas sencillas recomendaciones son necesarias para controlar su ingesta:

- Sustituir las carnes grasas por carnes magras, pollo y pescados
- Prescindir de carnes ricas en grasa
- Consumir leche y productos lácteos bajos en grasa
- Sustituir mantequillas y margarinas por aceite de oliva, aguacate o crema de semillas como el tahín (crema de sésamo)
- Limitar los alimentos ricos en colesterol: marisco, vísceras, queso
- Limitar los productos elaborados con grasas animales e hidrogenadas (bollería industrial, helados, pastelería).

Grasas y deporte

Las grasas son una fuente de energía indispensable. En forma de triglicéridos se almacenan en el tejido adiposo y también en el músculo al igual que el glucógeno.

En ejercicios que requieran una gran resistencia se convierten en la reserva energética más importante; un uso que puede entrenarse y ahorrar glucógeno para el momento de la competición de mayor intensidad. Esto lo saben muy bien deportistas como los ciclistas o los fondistas que necesitan de ese esfuerzo para ganar a su rival en la línea de meta después de horas de ejercicio.

Sólo en algunos casos se recomendará una dieta baja en grasas.

- Mala digestión de las grasas: insuficiencia pancreática o biliar
- Mala absorción de las grasas: síndrome de intestino corto, enteritis, enfermedad de Crohn
- Mal transporte de grasas: obstrucción linfática
- Mal uso de grasas
- Hiperlipidemia o acumulación de grasa en la sangre
- Colesterol por encima de 200, en que el LDL esté por encima de 160 o los trigliceridos por encima de 200, siempre y cuando haya un antecedente de patología cardiovascular. (Los últimos estudios demuestran que tratar el colesterol con medicación específoca no tiene sentido ni hay evidencia científica de que el tratamiento sea efectivo).

LDL	< 100	Nivel óptimo
	100 - 129	Normal o cercano al nivel óptimo
	130 - 159	Normal alto
	160 - 189	Alto
	≥ 190	Muy alto
CT	< 200	Nivel óptimo
	200 - 239	Normal alto
	≥ 240	Alto
HDL	< 40	Bajo
	40 - 59	Normal
	≥ 60	Alto
Triglicéridos	< 150 mg%	Normal
	150 a 199	Normal alto
	200 a 499	Alto
	> 500 mg%	Muy alto

Para llevar a cabo una dieta baja en grasas será indispensable:

- Grasas por debajo del 15% del total de la dieta, compensadas por la ingesta de hidratos complejos
- Asegurar ácidos grasos esenciales Omega 3 y Omega 6, y el consumo de vitaminas y minerales.

Vitaminas y minerales

Nutrientes esenciales que desempeñan, principalmente, una función reguladora.

- Participan en el metabolismo del interior de las células
- Son necesarios en el metabolismo de hidratos, proteínas y grasas
- Tienen propiedades antioxidantes.

La principal fuente de vitaminas son los vegetales (frutas y verduras) aunque las liposolubles provienen de los aceites de semillas, frutos secos, olivas y pescados.

Las vitaminas pierden propiedades cuanto más tiempo pase desde su recogida y también si se cocinan a temperaturas muy altas. Por ello deben escurrirse con celeridad, además de echarlas al fuego solo cuando el agua ya hierve para evitar la presencia de oxígeno, lo que las oxidaría. Tirar sal durante el proceso de cocinado y hervirlas más de 3 minutos también incrementa la pérdida de sus propiedades. La elección de sistemas de cocción como el vapor o el horno a bajas temperaturas, permitirá que no se dañen tanto sus propiedades.

Sus requerimientos dependen de cada persona y de su modo de vida. La dieta tiene una gran influencia ya que comer mucha carne, ingerir mucho alcohol o conservantes destruye vitaminas, por lo que hay que ingerir más. Café, tabaco y medicamentos también provocan un efecto parecido.

¿Dónde encontrar las vitaminas?

En los colores; comer frutas y verduras de diferentes colores nos asegurará que estamos introduciendo en nuestro cuerpo la variedad de vitaminas necesaria para nuestro correcto funcionamiento.

Vitamina A: alga nori, zanahoria, calabaza
Vitamina B12: algas y pescados, alimentos fermentados, huevo, alimentos de origen animal
Vitamina C: frutas, verduras sin cocinar o poco cocidas
Grupo B: cereales integrales, legumbres
Liposolubles (A, D, E, K): aceite virgen, semillas y pescados azules

Vitaminas y deporte

En el mundo del deporte es habitual encontrar atletas que toman vitaminas y minerales aunque una dieta normal ya cubre sus necesidades. Una mayor ingesta no mejora el rendimiento.

Así, por ejemplo, un deportista no suele necesitar suplemento de vitamina D a no ser que pase el día en lugares donde no toque el sol, ni tampoco un suplemento de antioxidantes, y no sólo eso: un atleta tiene un sistema antioxidante más potente.

Con los minerales sucede algo parecido: en casos normales, no debemos ingerir ni calcio ni hierro. Pueden adquirirse mediante la dieta. Igual que cinc, magnesio, potasio y sodio. Su exceso, por el contrario, puede producir efectos adversos. Tomar suplementación de vitamina B12, en caso de anemia megaloblástica B12, o de hierro en caso de anemia ferropénica está justificado.

Antioxidantes y radicales libres

Nuestro estilo de vida así como la exposición ambiental a determinadas sustancias hacen que las vitaminas y sus propiedades antioxidantes sean fundamentales para nuestra salud. Tabaco, medicamentos, contaminación, alimentos tratados industrialmente o fritos con aceites requemados insertan unas sustancias en nuestro cuerpo tremendamente dañinas. Se trata de los radicales libres: mole-culas que atacan las células favoreciendo enfermedades cardiovasculares, cáncer y artrosis.

El mayor enemigo de las células no son sólo estos elementos externos sino nosotros mismos. Comer calorías en exceso provoca una sobrecarga en las células, que deben metabolizar más sustancias y producen una mayor cantidad de radicales libres. Para luchar contra ellos son indispensables las vitaminas y otros elementos antioxidantes.

- Vitamina C: naranja, limón y mandarina, fresas, sésamo, brócoli, perejil
- Vitamina E: aceites vegetales y frutos secos
- Beta caroteno: brócoli, col, zanahorias, calabazas, melón
- Omega 3: algas, marisco y pescado azul, semillas de linaza, nueces
- Polifenoles: té, cerveza, vino, bayas, aceite de oliva, chocolate, nueces, granadas y otras frutas y vegetales.

Los minerales

Los minerales son elementos químicos inorgánicos que debe aportar la dieta, ya que su carencia puede provocar diversas dolencias. Los más importantes son el calcio, el magnesio, el sodio y el potasio.

Oligoelementos

Existen, además, otros minerales cuya ingesta diaria no puede sobrepasar los 10 miligramos y que realizan funciones muy variadas: hierro, cobre, cinc, yodo, cobalto, silicio, flúor, manganeso, cromo y selenio.

Hierro: participa en el transporte del oxígeno y el dióxido de carbono; su falta puede provocar anemia. En la práctica deportiva intensa y continuada puede ser recomendable su suplementación, aunque es mejor prevenir tomando alimentos ricos en hierro cómo legumbres, algas o pescado.

Yodo: necesario para sintetizar tiroxina, hormona que regula el metabolismo celular e interviene en la regulación del crecimiento.

Cinc: participa en la creación de energía.

Magnesio: participa en el metabolismo de los glúcidos y los lípidos. Su carencia puede afectar al rendimiento, y puede ser debida al abuso de alimentos dulces (lo que provoca su depuración por orina), a pérdidas urinarias provocadas por el ejercicio intenso, o a la adrenalina. Se encuentra en los alimentos integrales. En caso extremo, tomar suplementación.

Electrolitos

Los electrolitos son cualquier sustancia que contiene iones libres y, en solución, conducen la electricidad. En los líquidos corporales encontramos sodio, potasio, cloro, bicarbonato, magnesio y calcio.

Estas partículas están cargadas positiva o negativamente y generan corrientes eléctricas que actúan sobre la membrana celular como los impulsos nerviosos.

Sodio

Alimentos	Contenido en sodio
Sin sodio	Menos de 5 mg por ración
Muy bajo en sodio	Menos de 40 mg
Bajo en sodio	Menos de 140 mg

La principal fuente de sodio para el organismo es la sal común. Su función principal es equilibrar los líquidos corporales y asegurar la presión osmótica de la sangre. Participa en los impulsos nerviosos y la contracción de los músculos. Su exceso o carencia son regulados por el riñón. El exceso de ejercicio puede provocar demasiadas pérdidas a través del sudor.

Muchos alimentos procesados son ricos en sal, por eso es importante fijarse en las etiquetas y escoger los que no superen los 5 mg por ración.

Cloro

También se encuentra en la sal: regula el equilibrio hídrico del organismo y participa en los procesos digestivos. Se libera a través del sudor.

Potasio

Mantiene el nivel de los fluidos corporales, del mismo modo que el sodio y el cloro, y participa en el sistema nervioso dirigido a la contracción muscular. En los músculos tiene un papel en el almacenamiento de glucógeno. Su ingesta procede de frutas como cítricos y plátanos, verduras, pescado, carne y leche.

Alimentos remineralizantes

Algunos alimentos se caracterizan por su alto contenido en minerales, lo que los convierte en un aporte fundamental para el organismo.

- Algas: cochayuyo, wakame, kombu, nori
- Setas: níscalos, champiñones
- Brotes de alfalfa soja, sésamo
- Frutos ricos en grasa: oliva, aguacate
- Miso.

En el siguiente cuadro vemos un resumen de los alimentos saludables que necesita cualquier persona sea o no deportista.

Carbohidratos	**Para obtener energía y vitalidad. Nutre el sistema inmunológico**	**Azúcares: en forma de cereales integrales darán constantemente suministro de energía**
Proteínas	Para construir y reparar el cuerpo	Leguminosas, pescado, seitán, tempeh, tofu, proteínas animales
Aceites y grasas	Para un óptimo funcionamiento del cuerpo Regulan la temperatura	Aceites prensados en frío sin refinar Semillas y frutos secos
Vitaminas	Imprescindibles para los procesos metabólicos Fibra	Verduras de tierra (raíces redondas y hojas) Frutas
Minerales	Regulan el pH de la sangre Sistema nervioso, músculos, huesos, dientes...	Sal marina, verduras de mar (algas) y verduras de tierra
Fermentados Probióticos y prebióticos	Regeneración de la flora intestinal y buena absorción de los nutrientes	*Pickles,* miso, salsa de soja
Enzimas y polifenoles	Activan los procesos metabólicos	Germinados de alfalfa, brócoli, rabanito, remolacha, etc.

Si haces deporte, ¿qué necesitas comer?

La alimentación del deportista debe partir de una alimentación sana. Un 40% estará formada por alimentos muy ricos en hidratos de carbono (verduras y frutas, cereales integrales y tubérculos), un 30% por alimentos ricos en proteínas (preferiblemente más proteína vegetal y menos animal) y un 30% por alimentos ricos en grasas insaturadas (presentes también en los granos, las semillas, los frutos secos, los aceites, pesnacos y alimentos como el aguacate, o el coco).

Una pirámide nutricional nos puede ayudar a conocer cuáles son los nutrientes necesarios y cómo debemos combinarlos para que su absorción sea ideal.

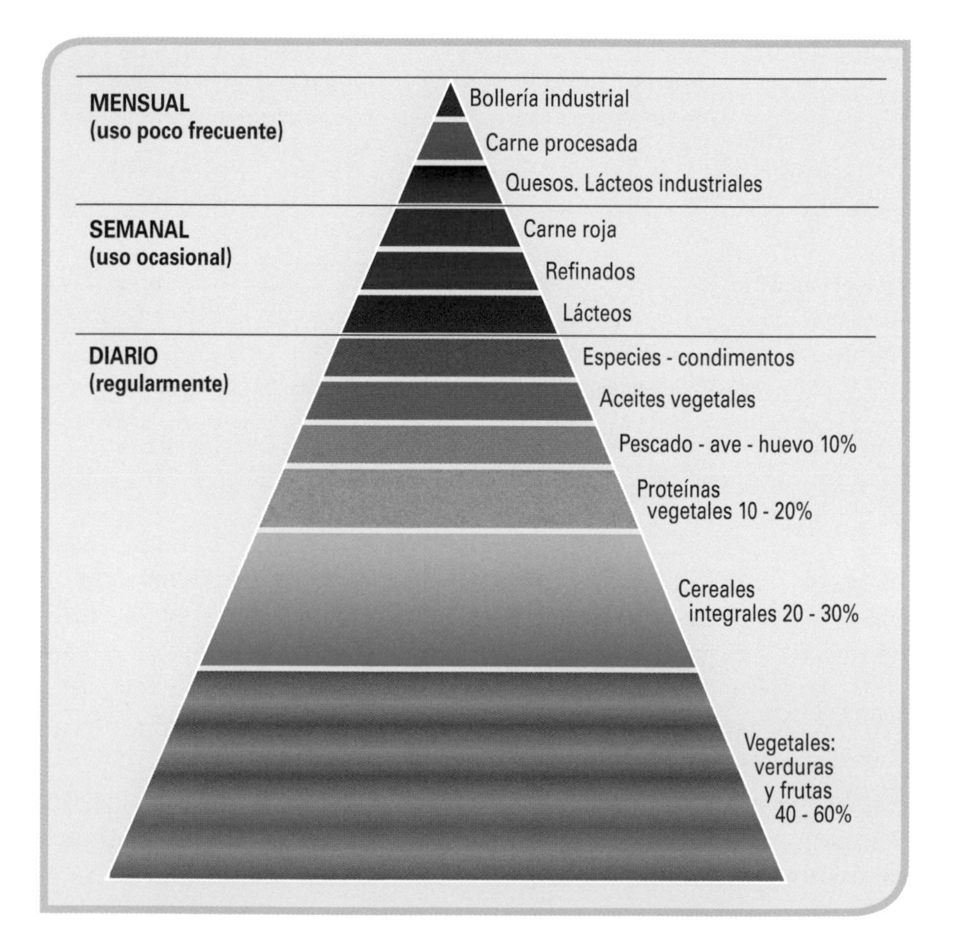

¿Cómo influye el PH del medio interno y de los alimentos?

El pH es un indicador que sirve para medir la acidez o la alcalinidad de una disolución. La teoría de la alimentación alcalina sostiene que, en nuestro organismo, los diferentes fluidos tienen su propio pH para funcionar correctamente.

pH ácido - pH neutro - pH alcalino

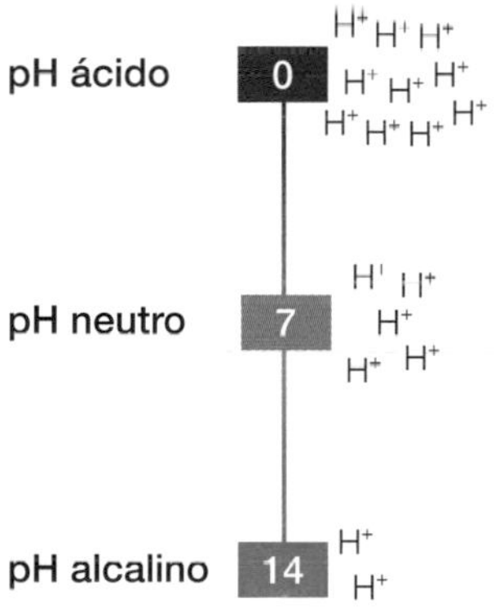

pH ácido 0 H^+ H^+ H^+ H^+ H^+ H^+ H^+ H^+ H^+ H^+

pH neutro 7 H^+ H^+ H^+ H^+ H^+

pH alcalino 14 H^+ H^+

	pH
Orina	4,5 - 7,8
Sangre	7,35 - 7,45
Piel	5,5
Saliva	6,5 - 7,2
Bilis	7,5 - 8,8
Estómago	1,2 - 3,2
Duodeno	5 - 7
Colon	6 - 8

Si se rebasan estos límites se podría llevar al organismo a una situación muy grave, pudiendo restablecerse, pero con un gran coste para nuestra salud. Esta teoría no suscita unanimidad. Es más, causa bastante polémica.

Lucía Redondo, nutricionista de la escuela Roger de Llúria, nos da otro punto de vista muy interesante sobre el tema. Por un lado, carece de una base científica clínica sólida. No obstante, son muchas las medicinas orientales que tienen como base un equilibrio ácido-alcalino para que todo nuestro cuerpo funcione correctamente.

Según estas corrientes, si el pH de la sangre (ligeramente alcalino; 7,35-7,45), se ve modificado a causa de la excesiva alimentación ácida, el cuerpo humano recurre a la reserva de minerales para compensar, debilitando los huesos que es donde reside nuestra reserva mineral. Esta alimentación rica en alimentos acidificantes sería el preludio de patologías, no solo óseas, ya que un medio ácido favorece las células tumorales y la debilidad orgánica.

Así, el uso de antibióticos, hormonas, ingeniería genética y procesado industrial crearía alimentos que romperían el balance del pH de nuestro cuerpo. Nuestra dieta rica en azúcares refinados, grasas y pobre en verduras sería demasiado ácida. Para compensar este desajuste deberíamos practicar una dieta alcalinizante, rica en vegetales (de grandes propiedades alcalinas) y abandonar carnes, lácteos y alimentos procesados, demasiado ácidos para nuestra salud.

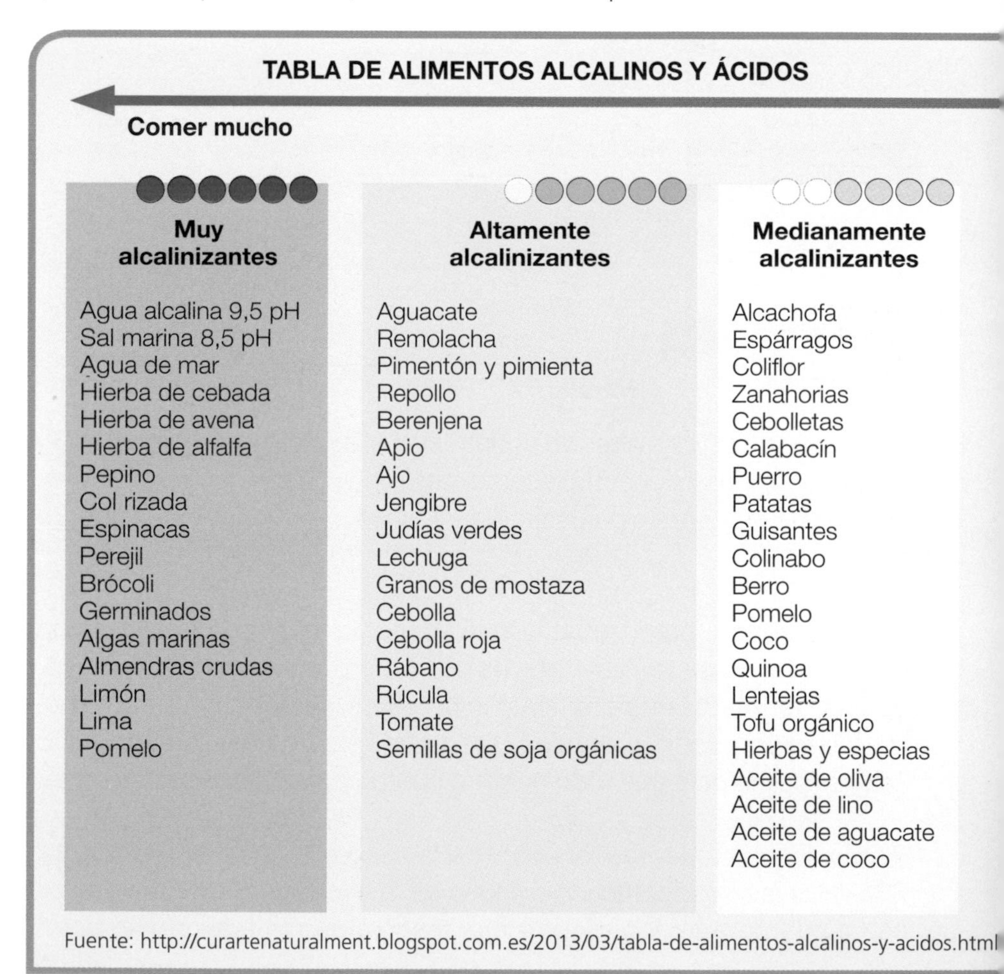

TABLA DE ALIMENTOS ALCALINOS Y ÁCIDOS

Comer mucho

Muy alcalinizantes	Altamente alcalinizantes	Medianamente alcalinizantes
Agua alcalina 9,5 pH	Aguacate	Alcachofa
Sal marina 8,5 pH	Remolacha	Espárragos
Agua de mar	Pimentón y pimienta	Coliflor
Hierba de cebada	Repollo	Zanahorias
Hierba de avena	Berenjena	Cebolletas
Hierba de alfalfa	Apio	Calabacín
Pepino	Ajo	Puerro
Col rizada	Jengibre	Patatas
Espinacas	Judías verdes	Guisantes
Perejil	Lechuga	Colinabo
Brócoli	Granos de mostaza	Berro
Germinados	Cebolla	Pomelo
Algas marinas	Cebolla roja	Coco
Almendras crudas	Rábano	Quinoa
Limón	Rúcula	Lentejas
Lima	Tomate	Tofu orgánico
Pomelo	Semillas de soja orgánicas	Hierbas y especias
		Aceite de oliva
		Aceite de lino
		Aceite de aguacate
		Aceite de coco

Fuente: http://curartenaturalment.blogspot.com.es/2013/03/tabla-de-alimentos-alcalinos-y-acidos.html

Otros puntos de vista más científicos y occidentales defienden que el pH no se puede modificar con la dieta. El cuerpo posee potentes mecanismos tapón que evitan cualquier modificación del pH.

Alimentación alcalina

Generalmente, según esta teoría, la mayor parte de frutas y verduras tienden a ser alcalinas, a no ser que hayan crecido en cultivos comerciales desmineralizados, donde pierden sus propiedades (por ello es importante que procedan de cultivos ecológicos). Son ácidos alimentos como carnes, embutidos y, en general, el abuso de las proteínas.

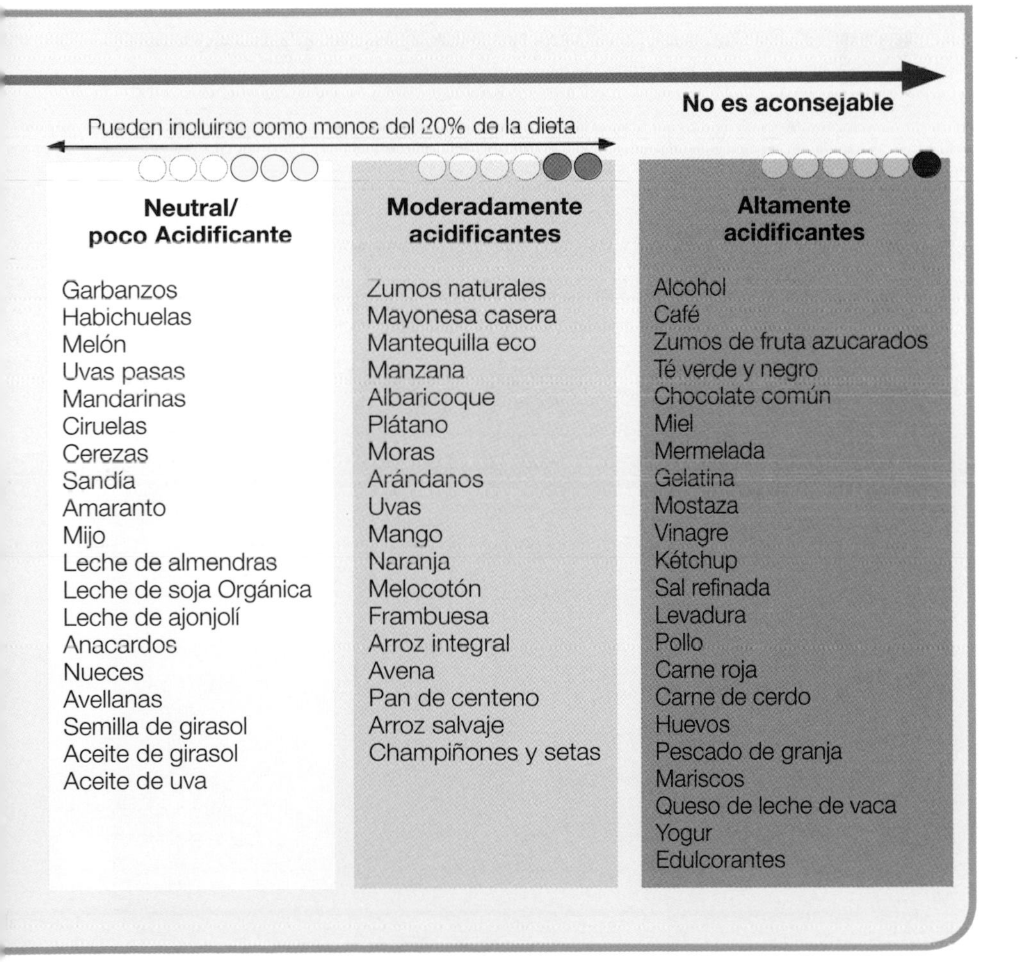

Neutral/ poco Acidificante	Moderadamente acidificantes	Altamente acidificantes
Garbanzos	Zumos naturales	Alcohol
Habichuelas	Mayonesa casera	Café
Melón	Mantequilla eco	Zumos de fruta azucarados
Uvas pasas	Manzana	Té verde y negro
Mandarinas	Albaricoque	Chocolate común
Ciruelas	Plátano	Miel
Cerezas	Moras	Mermelada
Sandía	Arándanos	Gelatina
Amaranto	Uvas	Mostaza
Mijo	Mango	Vinagre
Leche de almendras	Naranja	Kétchup
Leche de soja Orgánica	Melocotón	Sal refinada
Leche de ajonjolí	Frambuesa	Levadura
Anacardos	Arroz integral	Pollo
Nueces	Avena	Carne roja
Avellanas	Pan de centeno	Carne de cerdo
Semilla de girasol	Arroz salvaje	Huevos
Aceite de girasol	Champiñones y setas	Pescado de granja
Aceite de uva		Mariscos
		Queso de leche de vaca
		Yogur
		Edulcorantes

Un caso especial es el del azúcar blanco que ha perdido sus propiedades alcalinas debido al refinado, lo que provocaría un gran incremento de la acidez en el cuerpo. Los carbohidratos complejos no producirían tantos ácidos como el azúcar.

El ácido «bueno»

No hay que confundir la alcalinización del cuerpo con que todos los ácidos sean perjudiciales. Por un lado, hay fluidos del cuerpo que tienen ciertas propiedades en un medio ácido, por ejemplo la orina, propensa a ciertas infecciones cuando tiende a la alcalinidad, por lo que necesitará alimentos ácidos.

Hay que tener cuidado también con la suplementación alcalina como el bicarbonato, que retrasa la aparición del ácido láctico y de la fatiga. Al atravesar el pH ácido del estómago puede provocar malas digestiones con vómitos y diarrea.

Lo importante es el equilibrio general de nuestro organismo. Una alimentación variada, sin tóxicos, y el ejercicio en contacto con la naturaleza pueden ser el mejor antídoto contra cualquier desequilibrio.

Estrés deportivo y alimentación

La obsesión por un buen rendimiento y por la mejora de los resultados puede provocar estrés en el deportista. Una presión que activa en nuestro organismo la respuesta frente a una amenaza. Se desencadenan reacciones hormonales y nerviosas que vacían nuestras reservas de glucógeno hepático y nuestro «almacén» de grasa para disponer de energía en circulación.

En el día a día del deportista, esta presión supone un gasto de energía inútil. La percepción de amenaza y la respuesta del organismo frente a ella no han servido para nada, ya que no han ido acompañados de la quema de esta energía extra, lo que provoca un exceso de glucosa y grasas en sangre que al final se adhieren a las arterias y pueden acarrear dolencias y problemas cardiovasculares.

Este trastorno también puede suponer una desventaja en competición. Agotamiento, ansiedad o depresión son grandes limitaciones para un deportista que, debido a la inmunodepresión, se convierte en blanco fácil para las enfermedades. Por eso, resfriados, faringitis, sinusitis y gripes o dolencias más graves como mononucleosis, neumonías o alergias abundan en la alta competición. La alimentación minimiza los riesgos para la salud que supone el estrés.

A todo ello hay que añadir el llamado estrés alostático, muy bien definido en el libro *El mono estresado* de José Enrique Campillo. Se trata del estrés que producen algunos alimentos ricos en azúcares refinados, con sal añadida y grasas saturadas, que nos acercan a una situación nada conveniente para un deportista. Provocan reacciones muy intensas en el organismo que el cuerpo tiene que compensar provocando un desgaste innecesario.

Combatir el estrés con la alimentación

Los carbohidratos son el aporte esencial del deportista y su toma correcta puede minimizar los riesgos de la inmunodepresión. Hay que asegurar el aporte diario de alimentos antioxidantes que no favorezcan las inflamaciones, como son los alimentos ricos en grasas saturadas. Frutas y verduras, además, deben aparecer en cada comida.

Para las defensas, el cinc y el hierro son fundamentales. El zinc lo encontramos en carnes, pescado azul, legumbres o cereales integrales. El hierro, en carnes rojas, pescado y moluscos; su absorción mejora con la toma de vitamina C de cítricos. Esta vitamina es fundamental para evitar las infecciones del tracto respiratorio, así que naranjas, fresas y todo tipo de hortalizas nos asegurarán su aporte.

El sistema inmunitario agradecerá también la ingesta de vitaminas del grupo B: pescado, cereales integrales, verduras verdes y frutas secas y legumbres, por ejemplo. Mientras que, para los veganos, la vitamina B12, de origen animal, deberá sustituirse por suplementación, como veremos más adelante. Carnes, pescados y lácteos nos aportarán vitamina A; por lo que será indispensable su precursor, el betacaroteno, presente en vegetales y frutas anaranjadas. Finalmente, la vitamina E beneficia también nuestras defensas, por lo que debemos asegurar la ingesta de frutos secos y semillas, y aceite de oliva y huevos.

La vitamina D es clave para funciones de defensa, anticancerígenas y de absorción del calcio por el hueso. La vitamina D se sintetiza con la exposición de la piel al sol, pero aun así los déficits de la población cada vez son más altos incluso en poblaciones expuestas a él. Es recomendable analizar los niveles de vitamina D en las analíticas y valorar su suplementación si esta está por debajo de 50.

Finalmente, no está de más recordar que el agua protege la boca de infecciones, por lo que, entre los deportistas es importante mantener siempre una buena hidratación. Hablaremos sobre ello más adelante.

5 ¿Qué, cuánto y cuándo necesito comer?

Porcentajes de nutrientes según disciplina deportiva

Las necesidades energéticas de cada deportista variarán según la disciplina que practique y el tipo de prueba en que participe.

Gasto calórico

El gasto calórico de correr unos pocos kilómetros o una media maratón es distinto; o la carga muscular y el tipo de respuesta que requieren un nadador o un jugador de baloncesto. Las características de cada disciplina conllevarán unos gastos energéticos dispares y, por lo tanto, requerirán una ingesta u otra de alimentos. En el deporte profesional, distintas pruebas requieren distintas inversiones de calorías.

La forma en que se utiliza esta energía condicionará el tipo de nutrientes que mejor cubran sus necesidades. Mientras que las reservas de glucógeno y triglicéridos serán fundamentales en deportes de resistencia, las proteínas y su función de construcción del tejido muscular nos ayudarán en los deportes de fuerza.

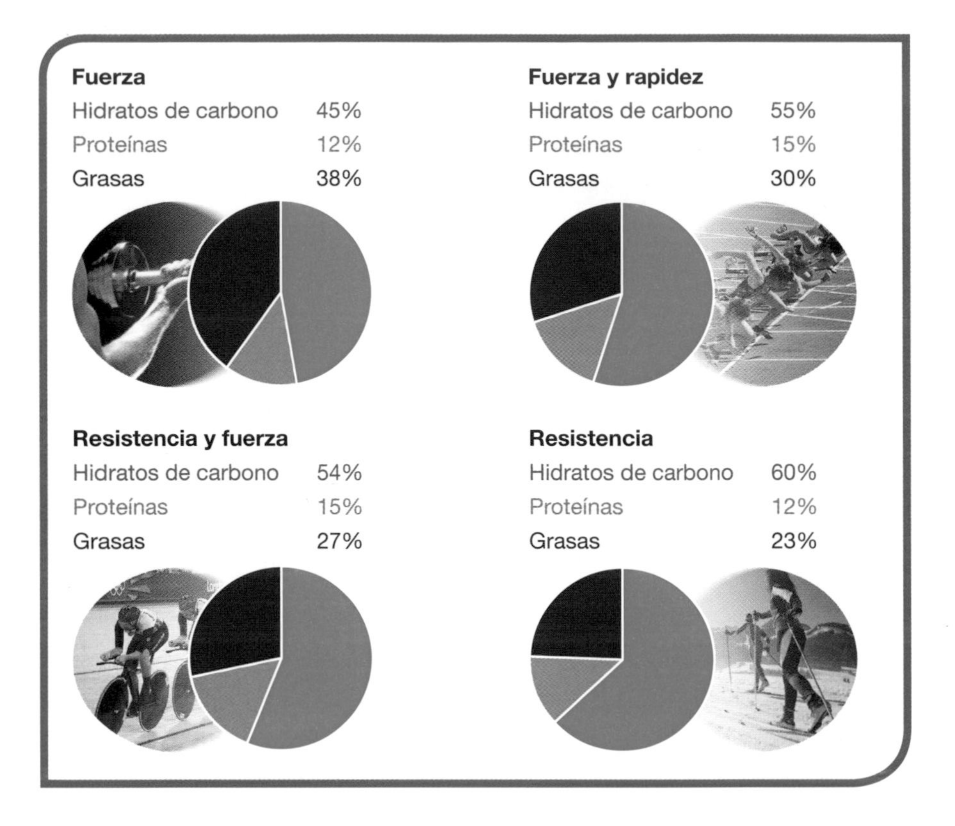

La combinación de estas variables en distintas disciplinas dará lugar a pequeñas variaciones en los porcentajes que permitirán optimizar todo el potencial del deportista.

Frank W. Dick, autor del libro *Principios del entrenamiento deportivo* traduce estos porcentajes en el número de gramos de los distintos nutrientes necesarios para cada práctica deportiva:

Fuerza y rapidez: 3.000 a 3.500 kcal/día según el tipo de actividad.

- *Proteínas*: 1,5 - 1,8 g/kg de peso. Aumenta fortalecimiento del músculo, velocidad de reacción y concentración.
- *Hidratos*: 8 g/kg de peso. De fácil digestión, periodos largos de entrenamiento.
- *Lípidos*: no más del 30% de la ingesta total. Creación de ácidos grasos.

Fuerza y resistencia: 4.000 a 6.000 kcal/día según el tipo de actividad.

- *Proteínas*: 1,5 - 1,7 g/kg de peso. Reserva del tejido muscular.
- *Hidratos*: 8 - 10 g/kg de peso. Reserva de glucógeno.
- *Lípidos*: no más del 25% del total.

Resistencia: 4.000 a 7.000 kcal/día según el tipo de deporte.

- *Proteínas*: 1,2 - 1,5 g/kg de peso. Rendimiento muscular en largo esfuerzo.
- *Hidratos*: 10 g/kg de peso. Optimización de reserva de glucógeno.
- *Lípidos*: no más del 30% del total.

Elección de los nutrientes

Hidratos de carbono

La dieta de un deportista debe ser rica en hidratos de carbono. Arroz, patatas, legumbres, pasta..., lo importante es que se trate de hidratos de absorción lenta que proporcionen energía a lo largo del tiempo.

Se recomienda que más del 50% de la dieta se base en hidratos, o lo que es lo mismo entre 6-10 gramos de HC por kilogramo de peso, dependiendo de la especialidad.

Cuanto más resistencia requieran los deportes que practiquemos, más nos acercaremos a los 10 gramos. Así, para unas 3.000 kcal diarias, 1.900 deben ser hidratos. La comida debería aportar más de 400 gramos de hidratos al día.

Proteínas

En general, deberemos limitar su consumo. Sólo la realización de deportes de fuerza o encontrarse en periodo de crecimiento pueden requerir un consumo superior. Las encontraremos en leche, legumbres y cereales; cabe recordar que las proteínas vegetales tienen mucho mayor valor biológico que las de la carne.

Tipo de actividad física	Proteínas g/kilo peso/día
Personas adultas no deportistas	0,8 - 1,0 g
Deportistas de resistencia	1,2 - 1,5 g
Deportistas de fuerza y resistencia	1,6 - 1,8 g
Deportistas de resistencia y velocidad	1,7 - 1,9 g
Deportistas de fuerza	1,8 - 2,0 g
Deportistas de fuerza adolescentes edad crecimiento	2,2 - 2,5 g

Lípidos

Las grasas son necesarias aunque, en un deportista, nunca deben sobrepasar el 30% de la dieta. Limitar las grasas saturadas y procurar que al menos 3/5 partes del total sean de origen vegetal. Las encontraremos en frutos secos y semillas, aceites vegetales vírgenes, pescados y frutos como el aguacate y el coco.

Otros

En nuestra dieta no puede faltar la fibra, con el aporte de verduras y cereales, pero hay que tener en cuenta que su ingesta antes de una competición puede provocar molestias gastrointestinales.

«La pájara» en el deporte: Cómo evitarla

Mareos, mal humor, descoordinación... Atletas de muy diversas disciplinas podrían hablarnos de situaciones en las que el cuerpo parece no responder. Estamos refiriéndonos a lo que popularmente se conoce como «la pájara». En otras palabras: una disminución del aporte de glucosa al cerebro que provocará, con toda seguridad, el descenso precipitado del rendimiento y el abandono del deportista.

A diferencia de los músculos, en cuyas reservas podemos almacenar glucógeno además de recurrir a las grasas, el cerebro no dispone de ningún método de acumulación ni de ninguna alternativa a esa sustancia. Su aporte procede de la glucosa sanguínea vertida desde el hígado así que deberemos asegurar su carga. Necesitamos unas óptimas reservas en el organismo, o bien a través del glucógeno almacenado en los músculos y en el hígado, o bien a través de la glucosa en sangre.

Para evitar **«la pájara»** se pueden comer hidratos de carbono de fácil digestión y absorción antes de la competición y así asegurarnos de que los depósitos de glucógeno hepático y muscular estén a tope. Aunque esta reserva vendrá determinada por la dieta que llevemos los días previos a la competición, entreno o práctica deportiva. Pero hay que vigilar con comer muchos azúcares rápidos antes de empezar a realizar ejercicios porque pueden provocarnos un pico de insulina, una disminución drástica de la glucosa sanguínea y llevarnos a lo que se conoce como «hipoglucemia reaccional». Un correcto protocolo sería tomar una pequeña cantidad de fruta como medio plátano o media barrita con cereales y algo de miel o glucosa 30 minutos antes de empezar el entrenamiento o competición.

Si el azúcar no llega al cerebro nuestra lucidez se apaga lo que desencadena un mal funcionamiento en todo el cuerpo. El estado anímico puede jugarnos una mala pasada. La ansiedad puede consumir unas reservas fundamentales; una noche llena de nervios debido a la competición, gasta muchas reservas de glucógeno. Sobre todo las del hígado, encargadas de controlar sus niveles de glucosa y de representar su aporte para el cerebro.

> **“El sistema nervioso simpático acelera funciones como la frecuencia cardíaca, los reflejos musculares, la movilización de energía y el sistema de alerta, y su funcionamiento inhibe el sistema nervioso parasimpático, encargado de la digestión. Por ello, un deportista nervioso no podrá digerir el desayuno correctamente”.**

A esto debemos añadirle que, por la mañana, los nervios dificultan el correcto desayuno, y si consiguen hacerlo, el sistema nervioso simpático, muy activo, no será capaz de absorber correctamente su energía. ¿El resultado? Presentarse a la competición con los depósitos de glucógeno medio vacíos.

Tus reservas de hidratos

> “Las proteínas deben, como mucho, representar entre el 15 y el 20% de la alimentación”.

Los hidratos de carbono son fundamentales para cualquier deportista, incluso para aquellos atletas que necesitan crear músculo, entre los cuales está muy extendida la práctica de una dieta basada en la ingesta de proteínas. Nada más lejos de la realidad: sin combustible un culturista no puede aguantar la práctica deportiva.

En la siguiente tabla podemos ver la energía en kcal que tiene en su organismo un hombre de 68 kg.

Reservas de glucógeno medias de un hombre de 68 kg con un 12% de grasa corporal	
Glucógeno muscular	1.400 calorías
Glucógeno hepático	320 calorías
Glucosa sanguínea	80 calorías
Total (glucógeno y glucosa)	1.800 calorías
Tejido adiposo	70.000 calorías
Grasa intramuscular	1.500 calorías

A continuación podemos apreciar la diferencia de reservas de glucógeno de una persona entrenada a una sedentaria.

Glucógeno muscular por 100 gramos de músculo	
Músculo no entrenado	13 gramos
Músculo entrenado	32 gramos
Músculo cargado HC	35 - 40 gramos

Costiff *et al.*, 1981; Sherman *et al.*, 1981

La depleción del glucógeno

Los almacenes de hidratos son limitados y se encuentran en músculos, hígado y sangre. Durante un ejercicio de resistencia como una maratón se puede llegar a caer en el «muro», una sensación de cansancio imposible de sobrellevar: se ha entrado en la depleción o pérdida de glucógeno en los músculos.

> «La depleción de glucógeno muscular puede tener lugar en 2-3 horas de ejercicio aeróbico o 15-30 minutos de ejercicio intenso».

El hígado es el depósito de glucosa que alimenta el riego sanguíneo y mantiene su nivel dentro de la normalidad. Cuando este almacén se agota la glucosa sanguínea cae de golpe y el estado de fatiga aparece al cesar el aporte de glucosa al cerebro, que deja de poder controlar los músculos.

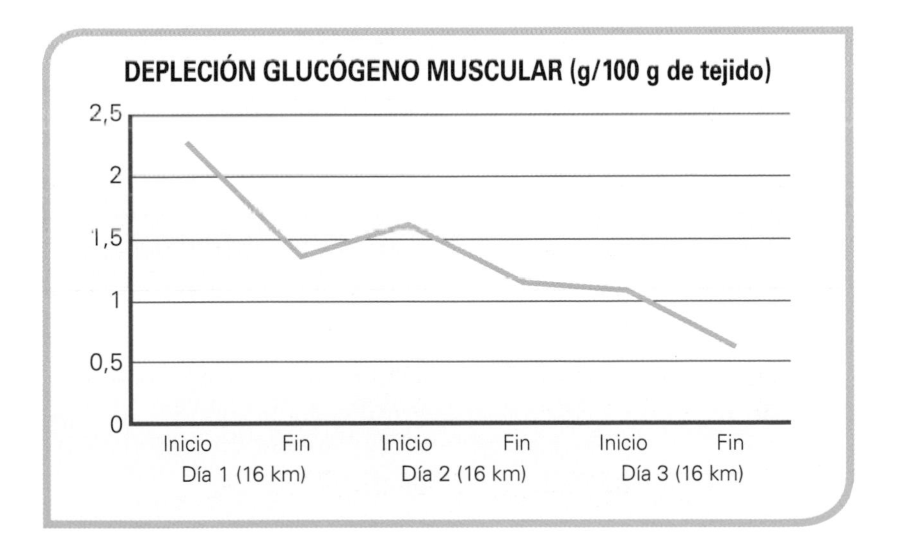

David Costill, uno de los pioneros en el estudio del metabolismo de los corredores, encontró que el agotamiento del glucógeno explicaba el porqué de la mayor parte de abandonos en maratón. Llego a

esta conclusión después de analizar el comportamiento de corredores ejercitándose 16 km al día a un ritmo fuerte entre 4-6 min/km durante 3 días. La mitad de su dieta se basaba en hidratos de carbono y aun así, sus músculos sufrieron la depleción de glucógeno.

Una dieta diaria que contenga de 6 a 10 gramos de glucógeno es ideal para llevar a cabo un entreno constante y llegar a la competición con los depósitos llenos:

- Cinco comidas diarias
- Aporte graso de calidad que no sobrepase el 30% de la dieta
- Aporte proteico entre 1,5-2 g por kilogramo y día
- Dieta rica en fibra para regular el tránsito intestinal
- Comidas ligeras para evitar problemas intestinales
- Evitar, en general, comidas ricas en azúcares e hidratos refinados: pan blanco, pasta blanca, bollería, etc.

Antes de la competición deberemos reducir el entreno para mantener los depósitos de glucógeno cargados: lo que solíamos gastar durante los entrenos ahora lo acumulamos. Una buena manera de comprobar si la carga de glucógeno se realiza de manera correcta es chequear la evolución de nuestro peso. Cada molécula de glucógeno acumulada supone almacenamiento de agua, así que si aumentamos de peso de 1 a 2 kg es buena señal.

Otros métodos combinan diferentes intensidades de entrenamiento con una dieta rica en hidratos. Entrenar intensamente 4 días, seguidos de 4 días relajados con una dieta rica en hidratos, por ejemplo. O los 4 días antes de competir pisar el acelerador con los hidratos son algunas maneras de poner a punto la reserva de glucógeno.

El régimen disociado escandinavo

Un célebre método de recarga de glucógeno es el escandinavo, llevado a cabo por los deportistas del norte de Europa para preparar pruebas de alta intensidad.

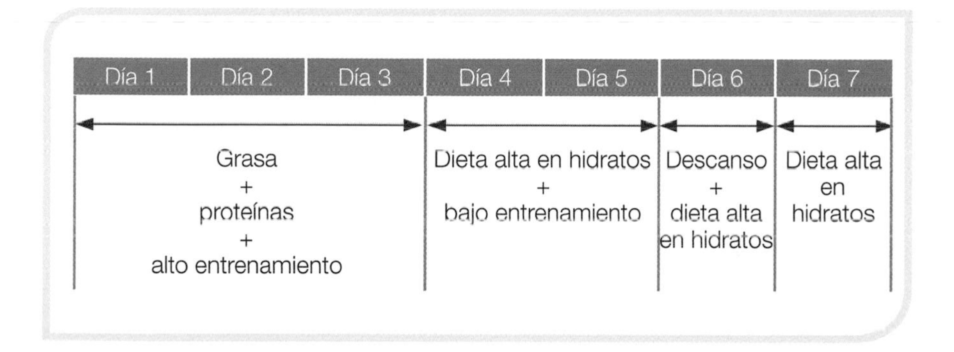

La dieta dura 6 días, teniendo en cuenta que la competición empieza el séptimo. En la primera fase, durante tres días, un entrenamiento de alta intensidad que agote las reservas de glucógeno, se combina con una dieta alta en lípidos y en proteínas.

La segunda fase dura los 3 días siguientes, cuando el entrenamiento se reduce a una hora diaria o directamente se paraliza y se combina con una dieta rica en hidratos (75%). Prácticamente se mantiene el aporte de proteínas (20%) y se reducen los lípidos (5%). Según sus practicantes, este método incrementa los depósitos de glucógeno entre un 20 y un 40%

La carga de hidratos de carbono

Ante los altos niveles de hidratos de carbono que deben ingerirse los días antes de pruebas de resistencia, algunos deportistas se hartan de repetir platos de pasta y arroz, por lo que es bueno conocer qué alimentos son ricos en hidratos. Ir en busca del preciado glucógeno no tiene por qué ser aburrido.

Ejemplo de una carga de HC		
Alimento	**Calorías**	**Hidratos de carbono (g)**
DESAYUNO	**800**	**152**
Copos de avena, 1 taza, hervidos	300	55
Leche de almendras 480 ml	200	25
Pasas, ¼ de taza	130	30
Azúcar integral	50	12
COMIDA	**980**	**155**
Crep de sarraceno con verduras 250 g	320	60
Pollo	200	0
Yogur de soja	240	40
Zumo de uva y remolacha	220	55
TENTEMPIÉ	**330**	**65**
Higos, 6	330	65
CENA	**940**	**188**
Espaguetis, 2 tazas	400	80
Salsa de tomate	250	40
Pan integral	150	30
Zumo de manzana	140	38
TENTEMPIÉ	**200**	**48**
Melocotones	200	48
TOTAL	**3.250**	**608**

Antes de competir: ¿qué como?

Supongamos que llegamos a la cita deportiva con los depósitos cargados de glucógeno y con unas cuantas horas de descanso a nuestras espaldas. Todo está preparado para poner nuestros músculos al máximo. Ahora debemos evitar que nuestra última ingesta no mande al traste toda nuestra preparación.

- No hacer ninguna comida principal 2 horas (en caso de desayuno) o tres horas (comida o cena) antes de la competición.
- Evitar tomar una cantidad alta de alimentos muy ricos en azúcares simples 1 hora antes de competir: puede provocar variaciones bruscas en los niveles de glucosa.
- Elegir comidas bajas en grasas y proteínas, retardan el vaciado gástrico, por lo que en el caso de que nos cueste digerir estos alimentos, evitaremos tomar mucha cantidad de ellos y los cocinaremos con estilos de cocción suaves como el vapor, la plancha o el horno, evitando fritos o cocciones muy grasientas.

REGLA DE ORO

- Nuestra alimentación también se entrena
- Nunca debemos cambiar nuestros hábitos y nuestra forma de alimentarnos el día de la competición
- Una mala digestión nos va a provocar muy malas sensaciones y que la energía se concentre en el estómago. «La energía la queremos en los músculos»
- Las raciones deben de ser moderadas
- Se debe comer despacio, masticando bien los alimentos y en una situación tranquila. Esto nos ayudará a quedarnos saciados antes y a que nuestra digestión sea mucho mejor.

El sentido común y unos mínimos conocimientos nutricionales nos permitirán combinar los alimentos para una dieta óptima antes de la competición.

Si se trata de DESAYUNO:

EJEMPLOS. A elegir:

- Gachas de avena (ver recetas en anexo)
- Dos o tres rebanadas de pan integral con aguacate y nueces
- Una alternativa es la leche vegetal con galletas integrales bajas en azúcares
- Una macedonia con yogur y muesli
- Pan integral y aceite y mermelada
- Las infusiones son más recomendables que un excitante como el café, aunque si estás acostumbrado a tomarte un café tampoco es perjudicial (tomar demasiado podría afectar provocando deshidratación)
- Batidos energéticos (ver receta en anexo).

Si se trata de COMIDA:

EJEMPLO. Un buen plato de hidratos y de segundo proteínas (evitando que sean grasas) acompañadas de verduras hervidas.

- Cereal integral: arroz integral, quinoa, pasta integral, mijo
- Proteínas: legumbres, tofu, seitán, pescado, proteína animal baja en grasas
- Verduras y hortalizas: vapor, horno, ensaladas, cremas, sopas.

Dieta durante la competición

Tipo de ejercicio	**Pautas**
Menos de 1 hora	No hay que aportar glucosa
Entre 1 y 2 horas	Sólo se aportará si es intenso
Por encima de 2 horas	Debe incluirse glucosa o algún alimento de alto índice glucémico entre 30 y 45 minutos antes de la depleción glucogénica

Algunos alimentos útiles:

- Barritas energéticas o sus alternativas naturales como pastillas de arroz mochi o bolitas onigiri (ver receta, anexo).

- Bebidas isotónicas o sus alternativas naturales como agua con miel de arroz, sal marina y pasta umeboshi (ver receta en anexo).

> “Abusar de la ingesta de azúcares durante la competición puede provocar hipoglucemia reaccional y reducir la liberación de grasa”.

En cuanto a la cantidad, podríamos tomar cada 30-45 minutos media barrita, 2 o 3 bolitas onigiri (30-40 g, de arroz integral) o 40-50 g de una fruta rica en azúcares (medio plátano, 2 o 3 higos, un albaricoque). Es recomendable combinar esta ingesta con 250 ml de agua para mejorar la digestibilidad y absorción de sus azúcares.

Durante los deportes de carrera continuada a muchos deportistas les resulta difícil masticar y tragar. En esos casos, la solución es optar por un alimento en forma de compota, crema o gel. Mejor elegir productos de procedencia ecológica o prepararnos una compota de manzana y plátano. En estos casos es práctico buscar recipientes reciclables en los que introducir un poco de este gel o compota casera para poder tomarlos, como por ejemplo botes pequeños de plástico.

Recuperarse con proteínas

Al acabar la competición nuestros músculos están en estado catabólico. No sólo se encuentran en depleción de glucógeno sino que segregan hormonas como el cortisol que ponen en marcha la degradación muscular. El organismo demanda aminoácidos como la glutamina para recuperar los músculos. Esta deberá ir acompañada de hidratos que nos permitirán recargar la energía.

Un sándwich de pan integral con proteína de alto valor biológico como tortilla, pavo, queso, atún (siempre que se pueda, elegir productos de alta calidad ecológica).

O podemos empezar con tentempiés que contengan proteínas, como yogur con frutas, batidos naturales, y recargas de minerales (potasio, magnesio, sodio). No hay que obsesionarse, el cuerpo dispone de reserva de aminoácidos si nuestra alimentación regular es adecuada.

Los mejores recuperadores son los que combinan una gran cantidad de hidratos con un complemento proteico como un plato de pasta con pescado o la combinación de cereales como el arroz integral o la quinoa con legumbres (garbanzos, lentejas, etc.). Como alternativas vegetales, podríamos tomar alguna fruta rica en azúcares con frutos secos y algún cereal como el trigo sarraceno (pan, galletas...) o copos de avena.

Recargar los depósitos de hidratos

Si se va a competir en las siguientes horas debemos ingerir carbohidratos tan rápido como lo tolere nuestro cuerpo, ya que así, conseguiremos reponer el glucógeno. Una cantidad suficiente de HC fáciles de digerir es 1 g de HC por kg de peso. Unas 300 kcal para una persona de 68 kg.

El 60% de glucógeno se repone en las 10 primeras horas posteriores al esfuerzo. Frente a bebidas deportivas, mejor fruta o zumos de frutas sin azúcares refinados.

Y cuando se pueda, una dieta rica en cereales y grano (pasta, arroz, etc.).

Consejos generales útiles para el deportista

- No hagas ejercicio con el estómago lleno.
- Haz comidas de fácil digestión.
- Da preferencia a los alimentos ricos en agua (cereales y legumbres cocidos en grano, verduras y frutas).
- Incluye un 50-60% de carbohidratos de bajo índice glucémico.
- Toma proteínas de fácil asimilación, especialmente pescado y huevo.
- Toma caldos de algas para asegurar el aporte de electrolitos.
- No te olvides de las verduras y ensaladas, te darán vitaminas y te ayudarán a equilibrar la contracción que produce el ejercicio.
- No abuses de alimentos deshidratados durante el ejercicio
- Si tomas complejos antioxidantes, nunca antes del ejercicio. Pueden dificultar las oxidaciones (combustiones) celulares. Si se dan antioxidantes se recomienda que sea fuera de los entrenos.
- Según la medicina tradicional china si no quieres perder fuerza en las piernas ni tener calambres en los gemelos, evita las bebidas excitantes y azucaradas, así como el café y el alcohol, además de tener cuidado de no enfriar el bajo vientre. Todo ello debilita la vejiga, disminuyendo la energía que circula por las pantorrillas.
- Para reponer los minerales perdidos y limpiar el organismo de las sustancias de desecho producidas por el exigente ejercicio, así como para mejorar el cansancio y las agujetas: té de tres años con umeboshi (ver receta).

Dependiendo del tipo de esfuerzo que hagamos, las indicaciones de lo que debemos tomar ANTES, DURANTE o DESPUÉS pueden sufrir ligeras modificaciones y ajustes, los cuales buscarán optimizar el rendimiento.

En los siguientes dos cuadros podemos ver las indicaciones para los deportes de resistencia, por un lado, y a continuación las indicaciones para los deportes de fuerza.

Ejercicios de resistencia

Antes	Durante		Después
Ingesta diaria de 6-10 g/kg repartidos en diferentes comidas	> 1	No hay que aportar azúcares rápidos	Depósitos de glucógeno ↓ Cortisol y otras hormonas que degradan tejido muscular ↑ Nivel de aminoácido glutamina ↓
Si comemos demasiado podemos tener problemas intestinales y no por eso el músculo estará mejor	1-2 horas	Sólo se aportará si es intenso	Reposición de los depósitos de glucógeno. 0,7-1 g/kg HC + prot
Consumir las suficientes proteínas: entre 1,2-1,4 g/kg	+ 2 horas	Deben incluirse azúcares rápidos o algún alimento de alto índice glucémico cada 30 y 45 minutos antes de la depleción glucogénica	Tan pronto como se tolere. 0-30 min Siguiente. 1 hora después Siguiente. Cada 2 horas hasta 6 horas
Consumir grasa, máximo entre un 20-25% y grasa de buena calidad		Grasas saturadas de cadena media	La ventana anabólica de 40 minutos que se abre después del ejercicio
Comida de fácil digestión 3-4 horas antes			Detener la degradación muscular tomando una combinación de hidratos y proteínas tras el ejercicio
Snack con combinación de azúcares rápidos y lentos 1 hora antes			

Ejercicios de fuerza

Antes	Durante	Después
Ingesta diaria de 4-7 gramos/kg HC repartidos en diferentes comidas	No se recomienda ninguna ingesta	Depósitos de glucógeno ↓ Cortisol y otras hormonas que degradan tejido muscular ↑ Nivel de aminoácido glutamina ↓
Si comemos demasiado podemos tener problemas intestinales y no por eso el músculo estará mejor	No se recomienda ninguna ingesta	Reposición de los depósitos de glucógeno. 0,7-1 g/kg HC + prot
Tomar proteínas antes y después de la actividad optimiza el desarrollo muscular	No se recomienda ninguna ingesta	Tan pronto como se tolere. 0-30 min Siguientes 2 horas coincidiendo con la dieta normal
Varias comidas y tentempiés con proteínas; es preferible a tomar una gran comida al final del día	No se recomienda ninguna ingesta	La ventana anabólica de 40 minutos que se abre después del ejercicio
Comida de fácil digestión 2 horas antes	No se recomienda ninguna ingesta	Detener la degradación muscular tomando una combinación de hidratos y proteínas tras el ejercicio
Snack con combinación de azúcares rápidos y lentos 1 hora antes	No se recomienda ninguna ingesta	

6 Y para beber, ¿cómo debo hidratarme?

Somos agua

La mayor parte de nuestro organismo está formado por agua, más del 60% de nuestro peso. Es el líquido de la vida, realizando funciones fundamentales como ser el medio de comunicación entre las células.

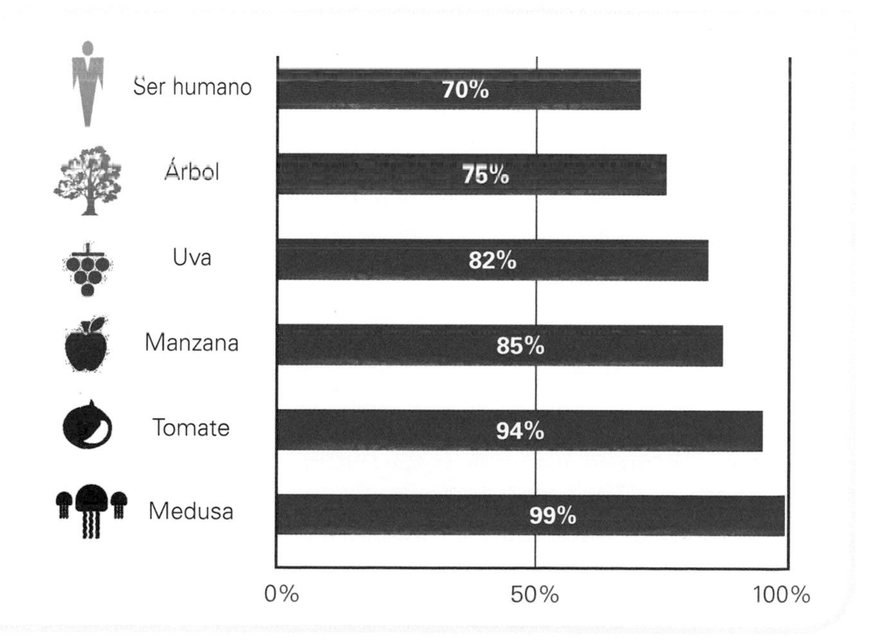

Las ganancias de agua provienen de nuestra dieta, alimentos y líquidos, y las pérdidas son influenciadas por las condiciones ambientales de temperatura y por supuesto por el ejercicio físico que realicemos.

> “La principal vía de eliminación del agua es la orina, mientras que alrededor de un 15% se evacúa por el sudor y las heces”.

Algunos factores influyen en la pérdida de agua de nuestro organismo:

- Ingesta de sustancias diuréticas
- Alcohol y cafeína
- Elevada ingesta de proteínas; urea que requiere eliminación por orina.

El equilibrio hídrico

Ingerimos la misma agua que expulsamos.

> “Una mujer adulta necesita 2.300 ml diarios de agua y un hombre 2.800 ml”.

Los principales «depósitos» de agua del cuerpo (65%) se encuentran en el interior de las células, donde se almacena junto a las proteínas, hidratos y electrolitos. El resto se encuentra entre las células o en el interior de los vasos sanguíneos.

Las funciones del agua en nuestro cuerpo:

- Regula la temperatura
- Colabora en el transporte de nutrientes y oxígeno para las células
- Mejora el oxígeno para la respiración
- Ayuda en la absorción de nutrientes y en la eliminación de toxinas

- Colabora en la transformación de los alimentos en energía
- Compone la mayor parte de la sangre, el 75% de cerebro y músculos y el 22% de los huesos
- Amortigua las junturas óseas y protege los órganos vitales.

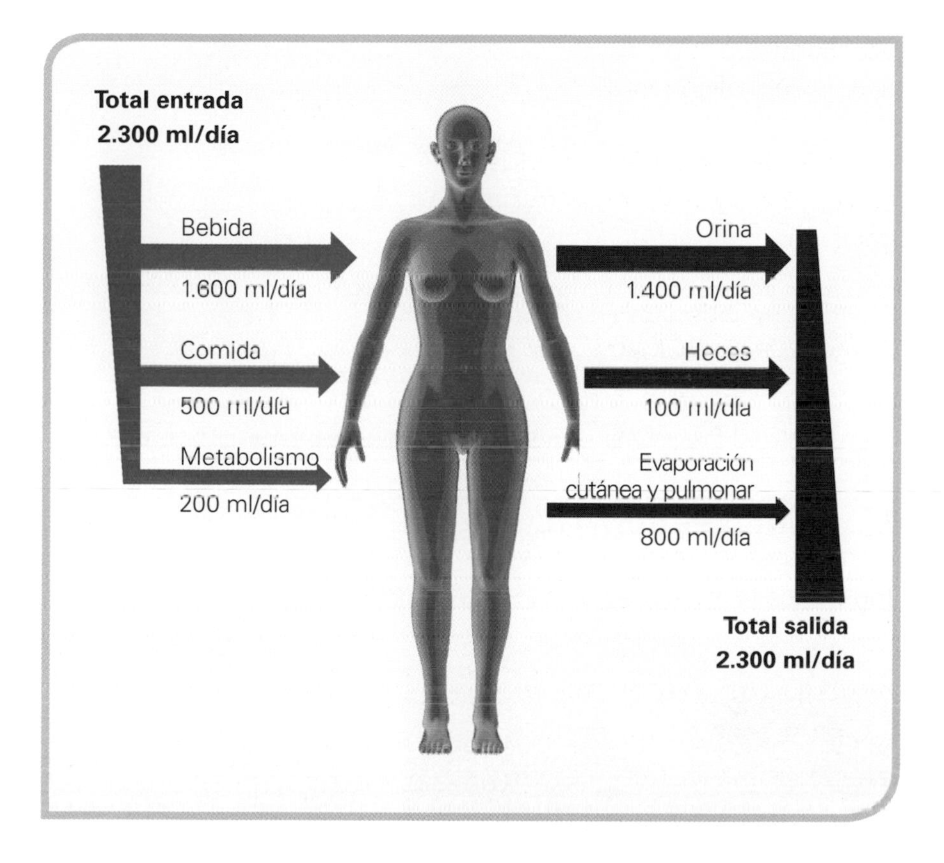

¿Cómo regulamos nuestra agua?

Los riñones son los encargados de eliminar agua si la acumulamos en exceso o de retenerla si nos encontramos en un estado de hipohidratación. El mecanismo utilizado para equilibrar el balance hídrico es la osmolalidad (en este caso celular) o concentración de sustancias en una disolución, que aquí son proteínas o electrolitos.

La tonicidad es la comparación de la concentración de iones dentro y fuera del medio celular.

- **Isotónicas:** cuando las dos soluciones tiene la misma osmolalidad.
- **Hipertónicas:** la solución tiene mayor osmolalidad que la célula.
- **Hipotónicas:** la solución tiene menor osmolalidad que la célula.

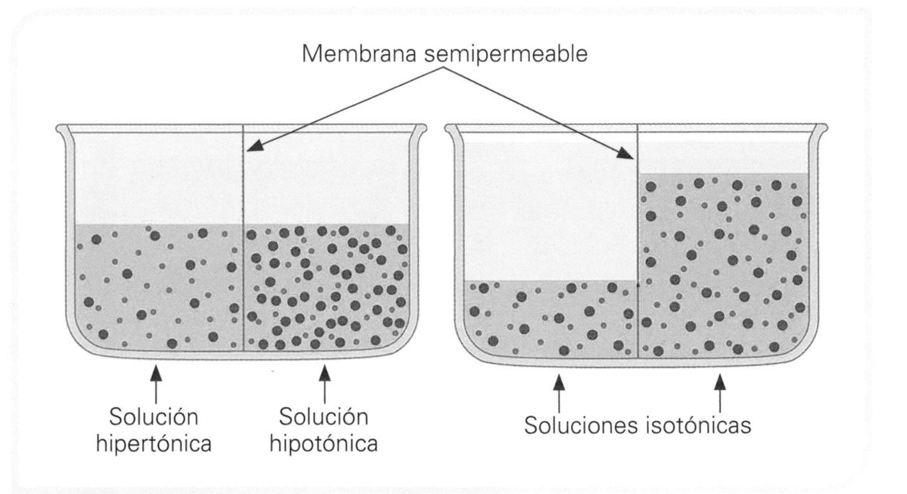

En caso de sudoración excesiva, no beber suficiente agua puede provocar deshidratación lo que hace que la sangre del medio extracelular se vuelva hipertónica y atraiga agua hacia el exterior de las células. Los cambios osmóticos son percibidos por el cerebro, que da la orden a los riñones de absorber la mayor cantidad de agua posible y el agua vuelve a la sangre reequilibrando su volumen.

Temperatura corporal del deportista

Cuando realizamos un gran esfuerzo no hacemos otra cosa que gastar energía. Un proceso químico y mecánico que disipa una gran cantidad de calor que debe ser eliminada mediante el sudor.

Con el sudor no sólo reducimos nuestro calor interno: eliminamos agua y perdemos electrolitos. A mayor temperatura ambiental mayor sudoración; igual que con la humedad, ya que la evaporación será más lenta debido al ambiente.

¿Cómo regulamos la temperatura?

Nuestra temperatura corporal habitual es aproximadamente de 37 grados. Las enfermedades o el ejercicio son algunos de los factores que pueden incrementarla y por ello el cuerpo dispone de algunos mecanismos para enfriar el organismo.

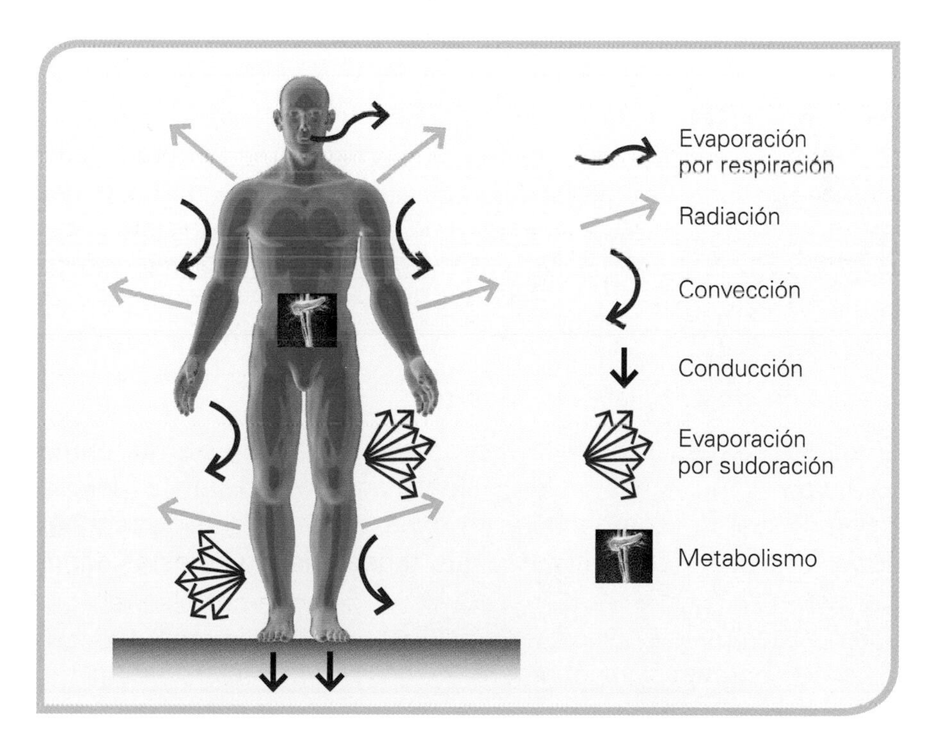

El sudor, llamado también evaporación por sudoración, actúa cuando la temperatura ambiental es superior a la de nuestro cuerpo.

Cuando la temperatura ambiental es más fría que la corporal actúan radiación, convección y conducción:

- Radiación: emisión de calor mediante ondas electromagnéticas (es el proceso en que se pierde la mayor parte de calor).
- Conducción: pérdida de calor por contacto con objetos (ropa, silla) y el ambiente (aire). Al entrar en contacto las moléculas, aquellas a mayor temperatura transfieren calor a las más frías.
- Convección: el aire caliente asciende y es sustituido por aire de menor temperatura; un ventilador o la entrada de aire fresco aceleran este proceso.
- Evaporación por respiración: se origina a través de procesos de convección (inhalamos aire frío que se calienta en los pulmones y es expulsado) y por evaporación (el aire que respiramos se satura de agua en los pulmones que finalmente es expulsada). Su eficacia depende de las condiciones ambientales de calor y humedad.

El cerebro regula la temperatura: si la piel detecta calor, la sangre se acercará a la piel para radiar el calor y además generará sudor. Si detecta frío, la sangre se alejará de la piel para conservar la temperatura. Los escalofríos se desencadenarán para contraer los músculos y generar calor. Al no funcionar con suficiente rapidez los mecanismos de enfriamiento ponemos en peligro nuestro organismo:

Riesgo de hipotermia en el deporte

Si perdemos más calor del que producimos corriendo a ritmo muy bajo y con condiciones de frío y viento podemos disminuir peligrosamente nuestra temperatura. El exceso de sudoración también puede provocar hipotermia. Hay que tener cuidado en estas condiciones:

- Temperaturas superiores a 27 grados con alta humedad y radiación solar

- Alta humedad: más difícil evaporar y enfriar el cuerpo
- Falta total de viento, dificulta la regulación de temperatura por convección.

Golpe de calor en el deporte

El contexto climático más peligroso para el deportista es el exceso de calor que puede producirse en los meses de verano, con altas temperaturas y humedad.

Tiene lugar cuando no se consigue eliminar la gran cantidad de calor en el cuerpo:

- Aumento de la transpiración y, por lo tanto, de la evaporación de agua a causa de las altas temperaturas. Gran pérdida de líquidos y de minerales
- Reposición insuficiente de agua y sales minerales, peligro de deshidratación
- Estancamiento de la sangre y falta de riego de los tejidos
- Insuficiente aporte de oxígeno al aparato respiratorio a causa del calor
- Fatiga, desmayos y grave riesgo cardiocirculatorio.

Para evitar esta situación tan peligrosa son necesarias algunas precauciones:

- Chequeo médico que compruebe enfermedades cardíacas o anemia
- Hidratación y alimentación correctas con control de temperatura
- Entrenamiento suave y aumento suave con los días
- En caso de calor excesivo mejor optar por un entrenamiento *indoor*
- Descansos más frecuentes acompañados de reposición de líquidos
- Ropa adecuada: nada de colores oscuros y mejor optar por prendas ligeras y transpirables.

La función del sudor

Hacer deporte aumenta nuestra temperatura corporal, que será mayor cuanto más intenso sea. La deshidratación ocurre cuando perdemos más líquido del que ingerimos, lo que puede provocar fatiga. Se trata de uno de los límites más habituales en el deporte y puede provocar problemas cardiovasculares y gastrointestinales.

> “Si no sudáramos, nuestra temperatura interna podría superar los 41°C, sufriendo lesiones, y al pasar de los 42 °C morir”.

La deshidratación tiene implicaciones en todo el cuerpo:

- Incremento de la temperatura
- Aumento de la frecuencia de latido cardíaca
- Gasto más elevado de glucógeno: al organismo le resulta más complicado utilizar grasas y recurre a las reservas de agua almacenadas con el glucógeno
- Problemas de concentración
- Dificultad para llevar a cabo el ejercicio.

La tasa media de deshidratación de un deportista que entrena periódicamente es de 2-3 litros de sudor por hora.

Algunos síntomas durante la práctica deportiva nos indican que nos encontramos frente a una temperatura corporal excesiva que el sudor no es capaz de contrarrestar. Las señales de calor son:

- Calambres musculares provocados por la pérdida de sodio (es necesario reponerlo a las 2 horas de esfuerzo)
- Molestias gastrointestinales: náuseas, vómitos
- Dolor de cabeza, mareos
- Confusión y debilidad
- Bajada de rendimiento, nula concentración.

La tasa de sudoración

Para comprobar que no nos estamos deshidratando durante los entrenos y competiciones debemos calcular la cantidad de sudor que perdemos por hora.

Deberemos pesarnos desnudos por la mañana (después de evacuar y sin variaciones en la dieta importantes) y después de 1 hora de ejercicio:

- 2% del peso: la pérdida no afecta nuestro rendimiento
- 3,5%: disminución de rendimiento
- 9-12%: trastorno grave que puede llevar a la muerte.

Otro modo más preciso de calcular la tasa de sudoración es tener en cuenta la ingesta de bebida y la cantidad de orina que eliminamos. El cálculo de pérdidas por minuto permite ajustar la cantidad de líquido a reponer durante la competición.

Peso corporal antes del ejercicio	70,5 kg
Peso corporal después del ejercicio	68,9 kg
Variación del peso	-1,6 kg (1.600 ml)
Ingesta de líquido	+300 ml
Volumen de orina	-100 ml
Pérdida de sudor (C+D-E)	1.800 ml
Duración del ejercicio	60 min
Índice de sudoración (F/G)	30 ml/min

Son muchos los factores que influyen en la tasa de sudoración.

- Tipo e intensidad de la actividad y habituación a ella
- Condiciones ambientales de calor y humedad
- Tamaño corporal, ropa.

La cantidad de electrolitos que perdamos también dependerá de la genética, la dieta y la adaptación al clima, además de la sudoración.

Debemos utilizar alimentos y bebidas de reposición que nos ayuden a compensar esta pérdida de electrolitos.

Electrolitos	Necesidades de reponer. Cantidad media / 1 l de sudor	Comparación de alimentos
Sodio	800 mg	1 l de Gatorade = 440 mg de sodio
Potasio	200 mg	1 plátano mediano = 450 mg de potasio
Calcio	20 mg	230 g de yogur = 300 mg de calcio
Magnesio	10 mg	2 cucharadas de crema de cacahuete = 50 mg de magnesio

Algunos indicadores de la orina nos indican cuál es el estado de hidratación:

- Poca orina y oscura: demasiados residuos, necesitamos reponer líquidos
- Mucha orina y clara: buena hidratación.

«Tengo sed», demasiado tarde

> “Con un 2% de pérdida de peso empezamos con deshidratación y con un 3% disminuimos el rendimiento”.

La sensación de sed no es inmediata, cuando notamos la sed hemos perdido ya un 1% del peso.

Debemos beber antes de sentir sed, una sensación muy subjetiva. Por eso, es recomendable la ingesta preventiva de líquidos durante ejercicios intensos:

- 2 horas antes del ejercicio: 350-500 ml
- 15 minutos antes del ejercicio: 200-300 ml
- Cada 15 minutos durante el ejercicio: 150-200 ml
- Después del ejercicio: hasta que la orina sea pálida
- Diariamente: suficiente para orinar cada 2-4 horas.

Aunque la dieta normal recupera los niveles de electrolitos, en pruebas intensas son recomendables las bebidas hidroelectrolíticas, pero debemos asegurarnos de que no nos causan trastornos. Por ejemplo, cuando tomamos bebidas con concentraciones de azúcares por encima del 6-8%, la capacidad de vaciado gástrico se reduce y podemos tener molestias gastrointestinales durante la práctica deportiva.

Se recomienda:

- Bebidas isotónicas que favorezcan la evacuación gástrica
- Presencia de sodio para ayudar a retener y absorber agua
- Potasio para el espacio entre las células
- Magnesio y cinc para optimizar la contracción muscular.

Algunas bebidas –vitaminas, ginseng o guaraná, cafeína o proteínas– no aportan beneficios en la recuperación y pueden provocar problemas gástricos.

Es bueno seguir este consejo: si el ejercicio es menor de una hora, sólo con agua ya aseguramos la recuperación. Si dura más de una hora son necesarios agua e hidratos de carbono, alrededor de unos 15 g de hidratos por cada 250 ml.

Algunas bebidas aportan energía y otras no.

BEBIDA	CALORIAS
Agua, cualquier tamaño	0
Refresco *light*, cualquier tamaño	0
Café y té, cualquier tamaño	0
Té con dos cucharaditas de azúcar	30
Leche sin grasa, 250 ml	80
Gatorade, 480 ml	100
Cerveza *ligth,* 360 ml	110
Zumo de naranja, 250 ml	110
Zumo de manzana, 250 ml	120
Leche 2% grasa, 250 ml	120
Vino tinto, 150 ml	130
Refresco normal, 360 ml	145
Leche entera, 250 ml	150
Leche con cacao, 480 ml	400

¿Qué beber antes de competir?

La mejor forma de llegar a una prueba lo suficientemente hidratado es llevar a cabo una dieta rica en agua. Mejor consumir frutas y verduras o cereales y legumbres cocidas que hartarse a beber agua, lo que supondría un trabajo excesivo para los riñones.

En un deportista que pese 70 kg esto se traduce en unos 350 ml ingeridos durante unas horas prudenciales antes de la prueba.

> “Lo ideal es la ingesta de alrededor de 6 ml por kilo de peso”.

También puede añadirse sodio a la bebida, unos 175 mg para esos 350 ml, lo que disminuirá el riesgo de hiponatremia en el caso de que vayamos a realizar ejercicio por encima de las 2 horas, o menos si el ambiente en el que lo realizamos es húmedo y caluroso, ya que sudaremos más y por el sudor perderemos más electrolitos.

Existe la creencia de que el café previo a la práctica deportiva puede ser una buena ayuda para incrementar el rendimiento pero la cafeína tiene propiedades diuréticas así que es más prudente no abusar de él.

Beber durante una prueba

Antes de realizar una práctica deportiva es indispensable que gocemos de una buena hidratación ya que durante el ejercicio la ingesta de líquido puede ser insuficiente.

A altas temperaturas ambientales se incrementa el gasto de glucógeno, por lo tanto para un mejor rendimiento es necesaria la ingesta de soluciones con azúcares de rápida absorción que complementen las fuentes de energía del glucógeno hepático, muscular y sanguíneo.

Para evitar que entremos en deshidratación en condiciones de calor extremo, son útiles algunos consejos:

- Mojar piel y cabeza
- Hiperhidratación: ingerir 500 ml de agua fresca en la media hora previa a la prueba.

Rehidratarse durante la práctica deportiva

Reponer líquidos durante la prueba es el modo más efectivo de evitar la deshidratación. Gracias a la entrada de agua ponemos en marcha un mejor equilibrio hídrico en sangre lo que minimiza los riesgos de la pérdida de líquidos.

La ingesta de bebidas con hidratos de carbono mejora el rendimiento en tan sólo unos minutos, aunque rehidratarse en carrera también comporta sus riesgos:

- Una ingesta excesiva puede provocar hinchazón abdominal y malestar
- Si contiene más del 10% de hidratos puede afectar al vaciado gástrico impidiendo una buena absorción y provocando molestias Cuanto más aumenta la intensidad del ejercicio más se inhibe el vaciado
- El ejercicio intenso puede disminuir la llegada de sangre intestinal y dificultar la absorción de estos hidratos, lo que puede causar falta de recursos energéticos en el músculo y molestias gastrointestinales.

¿Y reponer electrolitos durante la prueba?

Con el sudor, además de perder agua, también liberamos electrolitos. ¿Nunca os habéis fijado en los rodales y las marcas blancas que quedan en la ropa cuando hemos sudado? Son el cloro y el sodio.

El sudor es hipotónico así que, en pruebas que no superen las 2 horas (o 1 hora con intensidades elevadas), basta con beber agua para reponer el balance electrolítico.

Sólo en deportistas con un problema de excesiva sudoración o en pruebas de más de 2 horas de duración, puede presentarse un problema de pérdida de electrolitos (la disminución excesiva de potasio provocaría debilidad, la de magnesio espasmos y la de sodio hiponeatremia). Es recomendable ingerir una bebida con la misma concentración de electrolitos que en nuestro organismo. Para 250 ml de bebida:

- Sodio: 150 mg
- Potasio: 30 mg.

Consejos para reponer en competición:

- El agua es suficiente en pruebas de menos de una hora
- Más de una hora, si el ejercicio es intenso bebidas con 6-8% de hidratos
- Más de 2 horas, pequeña cantidad de sodio (150 mg) y potasio (30 mg), por cada 250 ml de bebida
- Agua antes de carrera (entre 300 y 500 ml) y rehidratarse al terminar
- En competiciones largas (más de 1 hora), 200 ml cada 30 minutos.

Es mejor optar por un zumo fresco casero, ya que los refrescos contienen calorías sin valor nutricional, y vigilar el consumo de bebidas ricas en edulcorantes, ya que tienen propiedades potencialmente perjudiciales para nuestro organismo.

El caso de las bebidas estimulantes es más reciente y aún no se conocen sus efectos sobre la salud, aunque suelen llevar cantidades excesivas de cafeína u otros estimulantes, como la taurina, que no son muy recomendables. Mejor beber té verde, con propiedades anticancerígenas y protector frente a enfermedades cardíacas.

¿Por qué no una bebida casera?

Sólo se necesita calentar agua y añadir unos gramos de azúcar integral o miel más una pizca de sal y mezclar hasta que se disuelvan. Luego, añadir zumos de naranja y de limón por ejemplo u otros que nos apetezcan y agua fría. La bebida resultante no difiere de tantas y tantas bebidas deportivas, evitando así la gran cantidad de sustancias químicas que se les añaden.

Cuidado con la hiponatremia

La hiponatremia es una bajada de sodio en sangre por debajo de los límites considerados de normalidad de 135 mmol/L, lo que puede provocar una inflamación del cerebro y, si no es tratada, el coma y la muerte.

Algunos de sus síntomas son:

- Fatiga, irritabilidad
- Convulsiones, calambres musculares
- Confusión
- Náuseas, vómitos.

La causa en pruebas de menos de 4 horas suele ser el exceso de hidratación sin la presencia de sodio en las bebidas o en las comidas que vamos tomando, lo que diluye el sodio en sangre. En pruebas de mayor duración, las temperaturas elevadas pueden producir una pérdida excesiva de sodio a través del sudor, como ocurrió en el Ironman de Frankfurt de julio de 2015, cuando murió un atleta por hiponatremia, pues pese a beber agua con regularidad no repuso el sodio que iba eliminando a través del sudor. Quizás si hubiera añadido a su bebida pequeñas cantidades de sodio o simplemente si hubiera tomado algún *snack* con sodio durante la prueba, se habría evitado este desenlace fatal.

En la maratón de Boston del año 2002 se analizó a 488 corredores y se detectaron casos de hiponatremia en un 13% de ellos, un 0,6% en estado crítico. La mayoría por un consumo excesivo de agua (más de 3 litros), un tiempo de carrera elevado (más de 4 horas) y bajo índice de masa corporal. El entrenamiento y la adaptación al clima influyen en la pérdida de electrolitos.

Prevención de la hiponatremia si competimos más de 2 horas en climas calurosos:

- No excederse con el agua antes de competir (más de 300-500 ml)

- Ingerir bebidas o *snacks* salados antes de la prueba
- Durante la prueba ingerir bebidas o alimentos altos en sodio
- Suprimir la ingesta de agua si notamos molestias.

Electrolitos en el sudor de individuos en forma y no en forma			
Electrolitos en el sudor	**No en forma, acostumbrado al clima**	**En forma, no acostumbrado al clima**	**En forma, acostumbrado al clima**
Sodio	3,5 g/l	2,5 g/l	1,8 g/l
Potasio	0,2 g/l	0,15 g/l	0,1 g/l
Magnesio	0,1 g/l	0,1 g/l	0,1 g/l
Cloro	1,4 g/l	1,1 g/l	0,5 g/l

El alcohol: tras la competición, ¿una cervecita?

En la actualidad existen multitud de mensajes que promueven las supuestas virtudes del consumo moderado de alcohol.

Es muy común ver a los deportistas, sobre todo populares, tomar cerveza o vino al acabar una competición. Pero el alcohol afecta de forma negativa al rendimiento:

> “Que si la cerveza hidrata más que el agua. Que si tiene antioxidantes naturales. Que si eleva los niveles de no sé qué vitamina. Que si mejora la termorregulación porque está fría...”

- Reduce la fabricación de glucosa por el hígado
- Afecta a la captación de glucosa por los músculos de las piernas
- Disminuye la absorción de determinadas vitaminas
- Perjudica la contractilidad del corazón y su capacidad de enviar oxígeno al organismo.

- Después de un evento con el estómago vacío se absorbe muy rápidamente:
  - Es diurético
  - Contiene poco sodio
  - Afectará negativamente a la recuperación de las reservas agotadas de glucógeno y la reparación de tejidos blandos dañados.

7 El persuasivo mundo de los suplementos

¿Qué son las ayudas ergogénicas?

Una ayuda ergogénica es cualquier método destinado a mejorar el rendimiento y a disminuir la fatiga que no supone ningún riesgo para la salud del atleta. En un principio, no tienen un objetivo negativo, se trata de dar un último empujón a atletas que están al límite de sus capacidades genéticas y de su entrenamiento. Pero la competencia en este mercado es feroz y se pueden traspasar ciertos límites.

Se considera dopaje el consumo de sustancias excitantes o estimulantes prohibidas en el deporte, que sirven para lograr de modo no natural un mejor rendimiento en una competición deportiva. La diferencia entre ayudas ergogénicas legales y el dopaje es mínima y se necesitan largos procesos legales para aclarar cada caso.

Historia de las ayudas ergogénicas

Los complementos para mejorar la práctica deportiva se remontan a la Antigua Grecia con la preparación de los deportistas a base de dietas especiales. Unas ayudas que se han mantenido a lo largo del tiempo, como el uso de cafeína o de alcohol en el siglo XIX, y convirtiéndose en un negocio millonario en la actualidad.

La primera y una de las más célebres fue el desarrollo de la bebida Gatorade, un ejemplo paradigmático de la evolución de la ingeniería nutricional deportiva en las últimas décadas.

Se desarrolló originalmente en la década de los 60 para el equipo de fútbol americano de los Florida Gators y veinte años más tarde ya era la bebida oficial de la NFL. En el año 2000 su popularidad era tal que la empresa lanzó distintas líneas de batido, bebida y barrita energética. Ya en el 2005, patentó una fórmula para combatir la deshidratación y la hiponatremia en los atletas de resistencia.

La popularidad de Gatorade estimuló la industria de gigantes de la comida deportiva como Powerbars. Desde su fundación a mediados de los 80, el desarrollo de barras de proteína e hidratos a lo largo de los años 90, la aupó entre las 30 compañías con crecimiento más rápido de Estados Unidos.

Este gran negocio ha permitido aumentar exponencialmente el conocimiento de la nutrición deportiva. Aunque, a fin de cuentas no deja de ser un negocio. Con un suplemento para cada nicho de mercado: sin gluten, sin calorías, orgánico, pre y posejercicio, para mujeres, para niños... Una locura que busca llegar al consumidor a cualquier precio sin preocuparse por su salud.

Primero debemos preguntarnos si lo que nos ofrecen es legal (en principio los complementos basados en nutrientes esenciales lo son), luego, y este es el principal problema, averiguar si es un fraude ya que su publicidad exagera los efectos.

Tipos de ayudas ergogénicas

Existen distintos tipos de ayudas ergogénicas:

- Mecánicas: calzado deportivo, ropa técnica, bicicletas súperligeras, material específico, etc.
- Psicológicas: orientación psicológica, técnicas de concentración y relajación
- Fisiológicas: como el bicarbonato sódico, que permite aumentar la tolerancia al ácido láctico
- Farmacológicas: influencia en el metabolismo (creatina, esteroides...)
- Nutricionales: mejorar el rendimiento (bebidas, suplementos).

Y cada una tiene sus propios objetivos:

- Incremento de los depósitos energéticos
- Mayor fuerza muscular
- Incremento de la capacidad de entrenamiento
- Mayor rapidez en curación de lesiones
- Potenciación del sistema inmunitario
- Protección contra los radicales libres
- Hidratación.

Existe otra clasificación de las ayudas ergogénicas según sus efectos realizada por el American College for Sports Medicine (ACSM):

- Peligrosas o prohibidas
- Sin base científica: no existen datos que avalen su consumo
- No efectivas: no producen los supuestos beneficios
- Efectivas: sus efectos corresponden al enunciado de sus propiedades.

Actualmente, muchas de las ayudas son directamente un fraude por lo que es bueno buscar asistencia profesional antes de empezar a probar. Una dieta diseñada para aumentar el rendimiento es la mejor ayuda que existe para el deportista.

Una realidad oculta

Hoy en día, la mayor parte de ayudas ergogénicas no tienen ninguna base científica y se basan en la ignorancia de los consumidores. Al contrario que los fármacos, regulados por la European Food Safety Authority (EFSA) en Europa y la Food and Drug Administration (FDA) en Estados Unidos, los suplementos y las hierbas terapéuticas están poco regulados.

Muchos productos se comercializan con grandes promesas difíciles de demostrar en el funcionamiento tremendamente complejo de nuestro organismo. Aunque no es legal publicitar que un suplemento «te hace más fuerte» si no está demostrado, con un poco de habilidad los fabricantes confunden al consumidor.

En el deporte, hay ciertas circunstancias que podrían necesitar de ayuda ergogénica como las inflamaciones provocadas por el ejercicio, las infecciones respiratorias o el estrés oxidativo. Y aunque muchas sustancias prometen su mejora, la EFSA sólo reconoce tres que hayan pasado todos sus filtros: creatina, cafeína y soluciones de carbohidratos y electrolitos. Y pone en duda sustancias muy utilizadas: proteínas de suero, bovinas y con caseína, l-carnitina, taurina, l-glutamina, propóleo, etc.

Que muchos de estos productos no estén probados científicamente, tampoco quiere decir que su uso este injustificado en cualquier momento. Lo que recomiendo es que en el caso de que estés pensando tomar algún suplemento para mejorar tu salud física o tu rendimiento, te asesores con un buen profesional cualificado, que, después de analizar tus hábitos, te justifique por qué te recomienda uno u otro producto.

Complementos más utilizados

Creatina

La creatina es una sustancia que nuestro organismo segrega de forma natural y que encontramos en carnes y pescados. Su síntesis se lleva a cabo en el hígado y páncreas a partir de los aminoácidos glicina, arginina y metionina para luego almacenarse en el músculo.

La utilizamos en ejercicios de alta intensidad y corta duración y está íntimamente ligada al desarrollo muscular. En algunos deportes en los que prima la fuerza, como el culturismo, la creatina es utilizada para aumentar el rendimiento. La mayor presencia de creatina en el músculo también facilita su recuperación.

¿Cómo funciona la creatina?

Nuestra fuente energética, el ATP, se agota rápidamente en series rápidas e intensas por lo que nuestro organismo recorre a la fosfocreatina para regenerarlo y, gracias a la suplementación llegamos a regenerar un 20% más de ATP.

La creatina también está presente de forma abundante en alimentos como el pescado, el huevo y la carne. Por lo que si tenemos una dieta en la que se incluyen estos alimentos también estamos incorporando reservas de creatina a nuestro organismo.

Los efectos de la ingesta de creatina en el metabolismo son diversos:

- Puede provocar aumento de peso
- No debe tomarse en ambientes calurosos, limita el agua disponible
- No se recomienda para personas con dolencias en el riñón
- Acompañada de hidratos de rápida absorción (por ejemplo un zumo) aumenta su acumulación

- Incrementar regularmente la intensidad facilita su posterior absorción
- Combinada con un entrenamiento de fuerza aumenta la masa muscular.

Bicarbonato sódico

La ingesta de esta sustancia evita el aumento de la acidez y permite mantener la potencia durante más tiempo, retrasando la aparición del ácido láctico. La mayor efectividad del bicarbonato se da en carreras alrededor de los 1.000 metros y en natación alrededor de los 200 metros y la dosis recomendada es de 0,2/0,3 g por kg para que realmente tenga efecto. Deben tenerse en cuenta una serie de factores:

- Su ingesta se hará en 3 dosis como mínimo una hora antes de la prueba
- Puede acarrear trastornos gastrointestinales y debe ingerirse con mucha agua. Por lo que su consumo se aconseja cada vez menos, ya que lo que puede beneficiarte por un lado neutralizando parte de la acidosis muscular, lo puede empeorar por otro acarreándote trastornos gastrointestinales.

Cafeína y otros energizantes

La ingestión de la cafeína ha sido objeto de polémica, con usos restringidos en el deporte hasta su liberalización en 2004. Sus propiedades pueden favorecer el rendimiento antes de competir aunque en tales cantidades que puede llegar a ser contraproducente:

- Incrementa el rendimiento en resistencia
- Reduce la sensación de fatiga.

Para provocar estos efectos, la cafeína debe tomarse en una cantidad de 3-4 mg/kg, lo que equivale a 6 latas de cola, y provocaría numerosos trastornos:

- Problemas gástricos
- Dificultar la absorción de hierro (no apta para anémicos)
- Incrementa el nerviosismo
- Se asocia a malos hábitos: tabaco, azúcar, leche con grasas saturadas...

Complejos de vitaminas

Las vitaminas son sustancias indispensables para el organismo que participan en multitud de procesos esenciales del metabolismo. No pueden ser sintetizadas por lo que debemos ingerirlas en la dieta.

Aunque no hay ninguna prueba de que su suplementación produzca beneficios, gran cantidad de deportistas creen que deben tomar dosis añadidas de estas sustancias, aunque pueden tener efectos adversos. La elevada toma de antioxidantes puede provocar el efecto contrario y convertirlos en cancerígenos. Sólo en situaciones específicas es necesaria la suplementación bajo el asesoramiento de un experto:

- Dietas de adelgazamiento
- Alergias o intolerancias alimentarias
- Embarazadas (vitamina B9) y personas mayores
- Deportistas que entrenan en interior (vitamina D)
- Veganos estrictos (B12).

Suplementos de minerales

Su suplementación puede producir beneficios, aunque en la mayoría de los casos una dieta equilibrada cubre sobradamente sus necesidades.

- MAGNESIO: sus pérdidas pueden provocar problemas musculares.
- POTASIO: participa en la contracción muscular y su falta puede dar lugar a calambres.

- CALCIO: una dieta inadecuada y un peso demasiado bajo, sobre todo en mujeres, puede favorecer la aparición de osteoporosis.
- HIERRO: deportes de ultrarresistencia y pérdidas menstruales en el caso de las deportistas pueden reducir su nivel y producir fatiga y alteraciones en la sangre.
- CINC: también está relacionado con la anemia; es un mineral que se pierde a través de orina y sudor. Es importante reponer su perdida con la dieta.
- MANGANESO: nos protege contra los radicales libres.
- COBRE: la sudoración puede provocar su pérdida y favorecer la anemia.
- SELENIO: mineral ideal para combatir el estrés oxidativo

L-carnitina

Compuesto sintetizado en el hígado y el riñón, presente también en carne roja y derivados lácteos. Se encarga de movilizar los ácidos grasos para convertirlos en energía aumentando el rendimiento, supuestamente, en disciplinas de fondo.

Se ha promovido su consumo para atraer a quienes buscan bajar de peso y se ha añadido en muchos productos como bebidas energéticas, galletas, barritas, etc. Debe quedar claro que lo que te hará reducir tu peso y mejorar tu composición corporal será la combinación entre la dieta y el tipo de ejercicio que hagas, por muchas galletas que te comas llenas de carnitina, si lo haces desde el sofá de tu casa, pocos resultados tendrás.

Triglicéridos

Su ingesta debería permitir disponer de lípidos como fuente energética. Los triglicéridos de cadena media son de fácil absorción por lo que el organismo los puede utilizar de una forma muy eficaz. Además, por cada gramo de ellos obtenemos más del doble de energía que con los hidratos de carbono. Cada vez se utilizan más en los deportes de resistencia, y los resultados son muy buenos.

Podemos encontrar estas grasas en el coco o en los frutos secos.

Guaraná y más

Muchas de las sustancias del mercado no cuentan con respaldo científico.

- Arginina y óxido nítrico: deberían aumentar la sangre muscular.
- Coenzima q10: participa en la producción de energía para los músculos aunque su suplementación no se ha demostrado efectiva.
- Ginseng: no existen datos que avalen sus propiedades energéticas.
- Guaraná: estimulante parecido a la cafeína.
- Taurina: estimulante que supuestamente mejora la concentración.

Suplementación inmunitaria

La mejora del sistema inmunitario debe ser producto de una buena alimentación, descanso y hábitos saludables. Aun así, se pueden encontrar productos que quizás pueden mejorar nuestra protección frente a las enfermedades:

Glutamina

La glutamina es un aminoácido presente en la mayoría de alimentos ricos en proteínas que riñón e hígado utilizan para sintetizar glucosa. Participa en la reconstrucción de los músculos y es el principal agente eliminador del amoníaco, un residuo tóxico generado durante el ejercicio.

Proporciona nitrógeno para sintetizar diversos compuestos, participa en el sistema nervioso y regenera el sistema digestivo y muscular cuando se incrementa bruscamente la demanda de energía. El sobreesfuerzo puede agotar las reservas de glutamina por lo que en la práctica deportiva puede ser necesaria su ingesta. Los efectos de este agotamiento pueden durar largo tiempo, provocando molestias en sistema digestivo e inmune.

La ingesta de glutamina tiene numerosos efectos beneficiosos:

- Participa en la síntesis de glucosa
- Evita pérdida de masa muscular, reparando el tejido dañado
- Contrarresta la acidosis del organismo
- Ayuda en la formación de urea, permitiendo la eliminación de residuos
- Propicia el incremento de linfocitos.

Colágeno

El colágeno es una proteína formada por aminoácidos que está presente en todos los animales. Esta proteína forma parte de nuestros tendones, músculos, ligamentos y otras partes importantes del cuerpo dándole elasticidad y firmeza a los mismos.

El colágeno se encuentra en todos los tejidos y actúa como pegamento. Existen 12 tipos de colágenos, cada uno formado por distintos aminoácidos (esenciales y no esenciales) y presentes en diferentes partes del cuerpo.

El cuerpo produce colágeno de manera natural a través de una alimentación variada y equilibrada, proporcionando así al organismo los aminoácidos necesarios para la formación de dicha proteína.

Con el tiempo, la producción de colágeno por parte de nuestro cuerpo se ralentiza, apareciendo síntomas de flacidez en la piel, problemas en las articulaciones... Para evitarlo y mantener unos niveles altos de colágeno en nuestro cuerpo podemos tomar varias medidas:

- Ingerir alimentos que contengan los aminoácidos que forman esta proteína, como la glicina, la prolina, la lisina, la leucina o la histidina
- Tomar alimentos ricos en vitamina C (necesaria para la forma-

ción de la proteína) y E (mantiene una correcta unión entre las fibras de colágeno)
- Evitar los tóxicos que aceleran la pérdida de colágeno, como el tabaco, el estrés, el exceso de radiación solar, o la contaminación
- Dormir bien y lo necesario ya que es durante el sueño cuando más colágeno produce el cuerpo
- Combatir la formación de radicales libres aumentando la ingesta de alimentos ricos en antioxidantes
- Incluir en la dieta alimentos que tengan cinc, pues este mineral ayuda a sintetizar el colágeno.

¿Qué alimentos contienen los aminoácidos necesarios para la producción de colágeno?

Ya hemos dicho que esta proteína está formada por cadenas de aminoácidos, algunos de los cuales son esenciales (que no puede producir el organismo y por lo tanto hay que incluirlos en la dieta) y otros no esenciales (el cuerpo los fabrica si son necesarios). A continuación te ofrezco una lista de alimentos donde encontrarlos:

- La glicina: aminoácido no esencial presente en el pescado, la carne, el huevo y los lácteos. Aunque la glicina de origen animal es más abundante, también la encontramos en las espinacas, las zanahorias, las legumbres o los cereales integrales.
- La prolina: es un aminoácido que puede sintetizar el propio organismo. Se encuentra en el pescado, la carne, el pepino, la soja, el cacahuete, el garbanzo, la col o el esparrago.
- La lisina: es un aminoácido esencial muy abundante en los lácteos y derivados (sobre todo en el queso), en la carne, el huevo y el pescado, aunque también lo podemos obtener de las legumbres y el germen de trigo.
- La leucina: aminoácido esencial presente en la carne, el pescado, el huevo, los lácteos, las legumbres (sobre todo la soja), los frutos secos, los cereales y en las algas.
- La histidina: aminoácido esencial absorbible gracias a la ingesta de carne, pescado, huevo, queso, soja, algarroba, altramuces, cacahuete o semilla de girasol o calabaza.

¿Y por qué no tomar colágeno ya preparado?

En el mercado existen muchas marcas que comercializan colágeno para utilizarlo como suplemento alimenticio, sobre todo en polvo o pastillas. También lo incluyen como ingrediente en cremas faciales o para tratamientos estéticos.

Como el colágeno sólo está presente en los animales (en su cartílago, en sus tendones, en su tejido...) tomar estos productos es tomar preparados a base de animal, pues no se puede obtener colágeno de ningún vegetal.

Como cualquier alimento que entra en nuestro organismo, el colágeno comercial se tiene que digerir (proceso que separa todos los componentes como vitaminas, aminoácidos, azúcares...), luego el organismo se encarga de transportar todas estas sustancias al órgano que las necesita (entre ellas para las que forman cartílago). Por lo tanto, no es un suplemento necesario ya que los aminoácidos necesarios ya están presentes en los alimentos.

¿Y qué dice la ciencia?

El mercado de las ayudas ergogénicas para deportistas se ha convertido en un negocio millonario, en el que es difícil discernir dónde empieza la verdad y dónde comienzan las promesas inalcanzables. Por ello debemos mirar estos productos con ojo crítico.

Debemos fijarnos en si los resultados que promete un producto son casi imposibles de conseguir y si no existe ninguna otra alternativa en el mercado. Además, la aparición de testimonios exagerados a quienes ha cambiado la vida, o de estudios sin referencias suelen ser también indicaciones de productos de dudosa calidad.

¿La alternativa? Fuentes de información veraces: nutricionistas, preparadores deportivos, libros y artículos... Y en caso de duda recurrir a una dieta equilibrada. Frutas y verduras, pescado y carne bajos en grasas, cereales e hidratos y fibra asegurarán nuestra energía y una buena recuperación después del ejercicio. Con estos alimentos tendremos un buen aporte de vitaminas y oligoelementos, mejor que con cualquier suplemento de los que se encuentran en el mercado.

Las investigaciones epidemiológicas son las que aportan más valor.

Libros:

- *Contemporany Nutrition* (Waldard)
- *Nutrition Concepts and Controversies* (Sizer y Witney)

Artículos:

- *Nutrition*: *Annual Editions,* publicado por Dushkin Publishing Group/McGraw-Hill
- Publicaciones de organismos gubernamentales como la FDA y los Councils on Physical Fitness and Sports
- Grupos profesionales: American Dietetic Association, American Medical Association

Internet:

- American Anorexia/Bulimia Association (AABBA), http://members.aol.com/AmAnBu
- American Cancer Society (ACS), www.cancer.org
- American Academy of Nutrition and Dietetic www.eatright.org
- American Heart Association (AHA), www.amhrt.org
- American Society for Nutrition (ASN),. www.nutrition.org
- American Medical Association (AMA), www.ama_assn.org
- Center for Disease Control and Prevention (CDC), www.cdc.gov o Food and Drug Administration (FDA), www.fda.gov
- Gatorade Sport Science Institute (GSSI), www.gssiweb.com
- United States Olimpic Comitee (USOC), www.olimpic_usa.org

La era de los superalimentos: Suplementos naturales

Por superalimento (*superfoods*) se entiende «un alimento rico en nutrientes considerado especialmente beneficioso para la salud y el bienestar».

Son un grupo de alimentos que tienen un valor nutricional muy denso y que aportan una considerable concentración de antioxidantes, sustancias antiinflamatorias y fitoquímicos detoxificantes, lo que los hace un excelente amortiguador natural para alergias, infecciones y contaminación, así como una protección para la prevención de enfermedades y la degeneración de nuestro organismo.

El açai

Es una baya de Brasil que, después del entrenamiento, se podría utilizar como recuperador. Se le atribuyen distintos beneficios:

- Fuente de polifenoles, compuestos antioxidantes de color púrpura
- Rico en ácidos grasos esenciales, omega 3 y 6 y omega 9, ácido oleico
- Algunos estudios han demostrado que reduce el colesterol
- Parece que podría mejorar el estado de la piel y de las uñas.

Cacao

Esta conocida fruta tropical aporta, supuestamente, muchos beneficios

- Antioxidantes, vitaminas, minerales y fibra
- Magnesio, necesario para el buen funcionamiento del sistema nervioso, y anandamida, sustancia que mejora el estado de ánimo

- Ayuda a fijar el calcio y el fósforo en huesos y dientes
- Regula la acidez del estómago
- Reduce las inflamaciones y estimula el sistema inmunológico
- Ayuda a regular la cantidad de azúcar en la sangre
- Contiene flavonoides; menor riesgo de enfermedades cerebrovasculares y cardiovasculares.

Se puede tomar añadiéndolo a las recetas de tartas, yogures y cereales.

Chlorella

Microalga que contiene una mayor cantidad de clorofila por gramo que cualquier otra planta. Beneficios que se le atribuyen:

- Rica en proteínas
- Estimula el sistema inmunológico
- Aumenta la absorción de oxígeno en la sangre
- Tiene un alto contenido en hierro, manganeso, vitamina B6
- Ayuda a eliminar el alcohol del hígado, limpia el cuerpo de metales pesados, pesticidas, herbicidas y otros productos tóxicos y contaminantes
- Mantiene el equilibrio de la flora intestinal
- Ayuda a mantener una piel y pelo radiantes
- Si es de membrana celular rota, no habrá pasado por procesos químicos.

Se puede tomar añadida al zumo de naranja, en licuados, *smoothies*. Espolvoreada sobre las ensaladas, agrégala a las salsas o directamente en la olla.

Cantidad a tomar: recomendamos tomar 1 cucharadita al día.

Espirulina

La espirulina es una alga microscópica verdeazulada que ha existido en nuestro planeta desde hace 3.600 millones años.

Beneficios que se le atribuyen:

- Rica en proteínas, mayor que la carne
- Contiene todos los aminoácidos esenciales
- Espectro completo de nutrientes, apoya al sistema inmunológico
- Promueve de forma natural la sensación de saciedad
- Alto contenido de vitamina B9 (ácido fólico)
- Fuente vegetal de cobalamina, necesaria para la absorción del hierro.

Se puede tomar añadida al zumo de naranja, licuados, *smoothies*. Espolvoreada sobre las ensaladas, agrégala a las salsas o directamente en la olla.

Cantidad a tomar: recomendamos tomar 1 cucharadita al día.

Hierba de trigo

Se cultiva desde hace más de 5.000 años y fue una preciada posesión de los faraones de Egipto. Es conocida por sus propiedades rejuvenecedoras y alcalinizantes. Su sabor es agradable, similar al té verde.

Beneficios que se le atribuyen:

- Fuente de clorofila, ácidos grasos esenciales, antioxidantes, minerales y fibra
- Rica en vitamina A, nutrientes muy importantes para el sistema inmunológico
- No contiene gluten.

Miso

Pasta obtenida de la fermentación de la soja pura (*Hatchomiso*) o en combinación con arroz blanco (*Komemiso*), arroz integral (*Genmai* miso) o cebada (*Mugimiso*). En el proceso de fermentación se eliminan los antinutrientes presentes en la soja y se desarrollan enzimas digestivas. Ayuda a la digestión por su contenido enzimático, lactobacilos, hongos y levaduras. Tiene un efecto parecido al yogur:

- Alcaliniza la sangre: esta misma propiedad ayuda a la circulación y a la eliminación de los residuos tóxicos de la alimentación.
- Previene el cáncer de estómago: sus aminoácidos impiden que se produzcan alteraciones en la transmisión de la información celular, la sustancia responsable es la melanoidina, que inhibe la acción oxidante de los radicales libres.
- Protege de las radiaciones: tras la explosión de las bombas atómicas de Hiroshima y Nagasaki, el profesor Kazumitsu Watanabe, mostró que el miso reduce la destrucción de las células del intestino delgado sensibles a las radiaciones. En Japón hay máquinas expendedoras de miso en zonas expuestas a radiaciones.

Lecitina de soja

Compuesto derivado de la soja usado generalmente para tratar dolencias cardiovasculares e hipercolesterolemia. En el deporte es usado para mejorar el rendimiento y para incrementar la concentración, aunque no está probada su eficacia. Contiene vitaminas B y E, fósforo, ácidos grasos poliinsaturados y grasas «buenas», que lo convierten en un poderoso antioxidante.

Concentrado de umeboshi

Las umeboshi son ciruelas hidratadas, parecidas a los albaricoques europeos, que son utilizadas en la medicina oriental. Su jugo, llamado también concentrado de ume, se obtiene prensando las ciruelas y calentado el líquido resultante para convertirlo en sirope.

Además de contener gran cantidad de proteínas, la presencia de ácido cítrico facilita la absorción de minerales. El ume es un poderoso agente alcalino. Resulta interesante para reducir la acidez metabólica, disminuyendo el ácido láctico en sangre tan abundante en deportistas, lo que ayuda a prevenir la fatiga. El ume también se vincula a mejoras en el tránsito intestinal y a beneficios hepáticos.

Algas

Las algas, hasta no hace muchos años, eran un alimento completamente desconocido en nuestra dieta. No obstante, sus numerosas propiedades han hecho que poco a poco vayan importándose del Lejano Oriente y de otras culturas, donde se consumen en abundancia y se alaba su aporte de oligoelementos como calcio o magnesio.

Para el deportista son un alimento fundamental para «alcalinizar» el organismo, excesivamente ácido debido a la acidosis metabólica provocada por el ejercicio. Cada alga tiene sus propiedades:

- Wakame: contiene omega -3, dificulta la acumulación de grasa abdominal.
- Kombu: depura los intestinos y es rica en yodo.
- Nori: muy rica en minerales y vitaminas.
- Cochayuyo: tiene propiedades mucolíticas.
- Agar-agar: regula el tránsito intestinal.

Polen

El polen son las pequeñas esporas que producen las plantas con semilla para generar nuevos frutos. Es rico en numerosos nutrientes que lo convierten en muy beneficioso para el organismo: vitaminas A, C, E y B, ácidos nucleicos, aminoácidos esenciales, minerales y enzimas además de lípidos y carbohidratos.

Tiene numerosas propiedades interesantes para los deportistas: se considera un potente vigorizante que combate la fatiga, mejora la calidad de los tejidos y el funcionamiento del aparato digestivo y permite una mejor absorción del hierro.

Jalea real

Las abejas utilizan la jalea real para alimentar a las larvas y a la abeja reina. En primavera y en otoño puede utilizarse como revitalizante para mejorar el rendimiento.

Es rica en vitaminas A, C, B y E, además de minerales. Se le atribuyen propiedades energizantes, combatiendo la fatiga y reforzando el sistema inmunitario. Por otro lado, se le atribuyen efectos antiinflamatorios y cicatrizantes.

Levadura de cerveza

La malta, para fermentar, necesita de un hongo, la llamada levadura de cerveza. Esta sustancia también se utiliza como suplementación alimenticia al secarse y evitar que pueda fermentar para así poder aprovechar su alto valor nutricional.

Tiene un alto aporte en proteínas, por lo que es ampliamente utilizada por deportistas vegetarianos, además de vitaminas del grupo B, necesarias para metabolizar correctamente los nutrientes. La presencia de diversos minerales le da un valor extra como antioxidante (selenio), potenciador muscular (fósforo) o protector de articulaciones (azufre).

Germen de trigo

El germen de trigo es la semilla de donde nacerá una nueva planta, por lo que es la parte que contiene más nutrientes. Posee ácidos grasos esenciales y vitaminas como la E, un gran antioxidante, y la B, protectora del sistema inmunológico. Además, es uno de los suplementos alimenticios más ricos en minerales.

Germinados

Además de tener factores de crecimiento para reparar los tejidos, son verdaderos complementos vitamínicos. Los germinados son brotes de semillas de cereales y leguminosas. Se trata, pues, de un alimento «vivo» que se encuentra en proceso de crecimiento, liberando sus nutrientes y, por lo tanto, con un gran valor nutricional.

Contienen enzimas y clorofila, además de aminoácidos minerales y vitaminas, lo que hace que tengan numerosas propiedades:

- Depuración del organismo y potenciador del sistema inmunitario
- Antioxidantes
- Mejora del sistema digestivo
- Protección del sistema cardiovascular.

Otros alimentos considerados súperalimentos:

- Lúcuma
- Maca
- Baobab
- Semillas
- Granada
- Brócoli
- Semillas de lino, girasol, calabaza, chía, sésamo
- Aguacate
- Grasa de coco
- Bayas de goji
- Camu-camu.

Bichitos para el intestino: probióticos y ejercicio físico

Según la Organización Mundial de la Salud, los probióticos son «microorganismos vivos que, cuando son suministrados en cantidades adecuadas, promueven beneficios en la salud del organismo hospedador».

Alimentos como los yogures y otros productos fermentados de la leche contienen probióticos y, al ingerirlos, nuestro organismo los mantiene vivos en el sistema digestivo, favoreciendo mecanismos fisiológicos como equilibrar la flora intestinal.

Están íntimamente relacionados con los prebióticos, en este caso sustancias no digeribles presentes en los alimentos que pueden provocar efectos beneficiosos, favoreciendo el crecimiento de determinados microorganismos. Suele tratarse de hidratos de carbono no digerible que actúan como «potenciadores de vida», justo lo contrario que los antibióticos. El más conocido prebiótico es la fibra.

Uso de los probióticos en el deporte

En muchos deportes, sobre todo los de resistencia, abundan los trastornos gastrointestinales: vómitos, hinchazones... Estos suelen darse por el cambio de dirección de la sangre provocado por la práctica deportiva: el flujo disminuye en el aparato digestivo para aumentar en músculos y huesos. Esto aumenta la permeabilidad intestinal, posibilitando la entrada de patógenos y la inflamación.

El uso de probióticos como bifidobacterium y lactobacilos puede combatir esta hiperpermeabilidad intestinal provocada por el deporte intenso.

8 Las recetas

Si optas por una alimentación natural y saludable que te ayude a rendir en tu deporte y a recuperarte de los esfuerzos de una forma eficaz, las siguientes recetas están diseñadas con estas finalidades. Según cuál sea tu deporte y el diseño de tu plan nutricional, estas recetas serán un fenomenal recurso para poner en práctica. Además podrás introducirlas en tu plan. Recuerda que es importante que valores los nutrientes que necesita tu práctica deportiva para saber qué alimentos incorporar. Así te asegurarás un correcto aporte de nutrientes y las bases para garantizarte el éxito en tus proyectos deportivos.

Tabla de abreviaturas y equivalencias

Abreviatura	
cs	cucharada sopera
cp	cucharada pequeña
l	litro
ml	mililitro
g	gramo

Equivalencias	
1 taza	250 ml
1 vaso	200 ml

Barritas energéticas

Aplicaciones: desayuno, merienda, tentempié y alimento para llevar a deportes de resistencia que requieran un aporte de energía.

Ingredientes:

- 2 tazas de galletas de arroz (desmenuzadas)
- 1 cs de coco rallado
- 1 cs de pasas sin lavar
- 8 cs de melaza de cebada y maíz o miel de arroz
- 4 cs de semillas de girasol
- 4 cs de semillas de sésamo y/o calabaza
- Papel de horno.

Elaboración:

1. Lavar las semillas y tostarlas ligeramente en una sartén sin aceite.
2. Colocar las 2 tazas de galletas de arroz (desmenuzadas) y la melaza en una cazuela y calentar (sin añadir agua) removiendo constantemente con una espátula de madera.
3. Apagar el fuego y añadir los demás ingredientes, mezclarlos muy bien hasta obtener una masa compacta y amalgamada por la melaza (si es preciso añadir más melaza).
4. Verter en un molde previamente pintado con aceite de oliva o de coco y aplanar bien con la espátula o con las manos húmedas. ¡No más de 2 cm de espesor!

5. Dejar que se enfríe. Cortar a la medida deseada cuando esté frío. Si es preciso, utilizar un cuchillo de sierra humedecido con agua para que deslice bien sobre la masa y no se enganche.
6. Hacer la forma de las barritas con el papel de horno comprimiendo los ingredientes.

Bolitas onigiri

El 4 de mayo de 1974, una expedición de 12 mujeres japonesas conquistó el monte Manaslu en el Himalaya, 8.156 m sobre el nivel del mar. Fue la primera vez que un grupo de montañeras superaba la marca de los 8.000 m.

Fueron muchos los problemas que tuvieron que superar; la falta de oxígeno fue el más importante, con la consiguiente inapetencia, dolor de cabeza y a veces insomnio. Para superar todo esto, sus únicos alimentos fueron sopa de miso (soja fermentada) instantánea y bolitas **onigiri**.

Aplicaciones: desayuno, merienda, tentempié y alimento para llevar a deportes de resistencia que requieran un aporte de energía.

Ingredientes:

- 1 ½ vaso de arroz de grano integral redondo
- ½ de mijo
- 4 ½ vasos de agua
- 2 láminas de alga Nori
- 1 cp de sal
- ½ vaso de agua.

Rellenos:

- Umeboshi
- *Muguimiso*
- Mermelada de fresa y aguacate
- Tahín y miel
- Frutos secos.

Elaboración:

1. Lava el arroz y el mijo con agua en un colador hasta que esta salga clara.
2. En una olla añadir el agua con una pizca de sal y llevarla a ebullición. Añadir el arroz y el mijo y cocer durante 30 min aproximadamente, hasta que el arroz esté bien cocido. Añadir más agua si vemos que se ha absorbido toda.
3. Una vez apagado el fuego, dejar reposar unos 10 minutos.
4. Una vez acabada la preparación del arroz, se deja en un cuenco tapado con un trapo húmedo para que no se reseque hasta que se enfríe.
5. Mientras tanto, poner en un cazo un poco de agua para ir humedeciéndose las manos y poder así trabajar bien la masa del arroz y el mijo.
6. Preparar los diferentes tipos de rellenos que queramos al gusto.
7. Para añadir el relleno, se pone una buena cucharada de arroz sobre una mano y se hace la forma de una bolita del tamaño de una pelota de pimpón. Con cuidado se hace un agujero en el centro y se añade el relleno. A continuación, tendrás que acabar de formar la bola cubriendo por completo el relleno con un poquito más de masa.
8. Divide una lámina grande de alga nori en 4 partes.
9. Una vez hecho esto, coloca una parte de esta alga nori debajo y envuelve la masa con el relleno.

Desayuno o merienda nutritiva, energética y que ayuda a mejorar el rendimiento

Aplicaciones: desayuno dos horas previas a una competición o entrenamiento.

Ingredientes:

- 1 vaso de leche de arroz (si no queremos gluten, pero también se puede hacer con leche de avena)
- ½ vaso de agua (porque en la cocción se evaporará parte del líquido)
- 4 cs de copos de maíz (si no queremos gluten, pero también se puede hacer con copos de avena)
- 1cs de aceite de coco (opcional)
- 1 cs de semillas de calabaza
- Un puñado de pasas
- Media manzana pequeña cortada a daditos
- Un puñado de almendras crudas peladas y machacadas, si queremos usar almendras con piel se pueden escaldar previamente y después pelar. También se pueden utilizar avellanas
- Piel de limón ecológico (2 tiras)
- Coco rallado
- Canela molida
- Una porción de chocolate ecológico; o una cucharada pequeña de cacao o algarroba en polvo.

Elaboración:

Poner la bebida vegetal y el agua con la piel de limón a fuego bajo y añadir ingredientes en el siguiente orden: copos y pasas. Cocer sin tapa. Cuando hierva, dejar 1 minuto y apagar el fuego. Añadir la manzana y las almendras, dejar macerar todo unos 5 minutos y añadir la cucharada de aceite de coco, el cacao en polvo y los frutos secos. Remover bien y servir en un bol. Esparcir el coco rallado y la canela molida.

Este desayuno es ideal porque combina azúcares de asimilación lenta (los de los copos) con azúcares de asimilación más rápida (los de las pasas y la manzana). Tiene un importante efecto calentador sobre el cuerpo (por la piel de limón, la canela, la cocción y el aceite de coco).

Bolitas energéticas para media mañana, o tentempié

Aplicaciones: alimento para llevar a deportes de resistencia que requieran un aporte de energía o como tentempié entre comidas.

Ingredientes:

- 1 cs de aceite de coco calentado en una pequeña olla para que quede líquido
- Un puñado de almendras o de nueces ecológicas (en remojo previamente durante 4 horas o durante la noche)
- 3 dátiles ecológicos en remojo en agua caliente para que estén blandos (y sin hueso)
- Coco rallado.

Elaboración:
Colocar todos los ingredientes en el procesador o batidora. Debe quedar bastante consistente para poder hacer bolitas con las manos. Una vez hechas las bolitas, rebozar con el coco y colocar en la nevera durante 15 minutos para que cojan consistencia.

Caldo remineralizante

Aplicaciones: conseguir un gran aporte de minerales alcalinizantes después de una práctica deportiva intensa.

Ingredientes:

- agua
- *hatchomiso*
- pasta de umeboshi
- alga wakame.

Elaboración:

1. Calentar el agua.
2. Sin que llegue a hervir añadir 1 cp de *Hatchomiso* y ½ de pasta de umeboshi.
3. Con unas tijeras añadir trocitos pequeños de alga wakame.
4. Tomar una taza cada 45 min.

Pastel de proteína

Aplicaciones: aporte de aminoácidos esenciales, reparador muscular, deportistas de fuerza.

Ingredientes:

- 3 cs de copos de avena
- 2 claras de huevo
- 1 cs de algarroba en polvo o cacao
- 10 g de levadura madre
- 1 puñado de frutos secos machacados y de pasas.

Elaboración:

1. Se mezclan los ingredientes excepto los frutos secos y se baten.
2. Añadir los frutos secos y las pasas y mezclar bien.
3. Se extienden todos los ingredientes en un molde y se hornea 12 min a 200 °C.

Bebidas naturales deportivas

Las bebidas deportivas no deberían contener más del 6-8% de azúcar (60-80 g/l), ya que por encima de esta concentración se retrasa la absorción de líquidos.

Las que llevan sales de potasio o de magnesio aportan bastante menos electrolitos que los que hay en un zumo de naranja.

El máximo para 1 litro debe ser: 60-80 g de azúcar integral de caña; 250 mg de sodio; 200 mg de potasio.

Bebidas alternativas

1. Para beber durante los esfuerzos muy prolongados

a. 500 ml de agua + 500 ml de zumo de manzana + 1 cc de sal del Himalaya (o 10 ml de agua de mar hipertónica).
b. 1 litro de agua + zumo de medio limón + 60 ml de zumo de naranja + 1 cp de sal integral o del Himalaya (o 10 ml de agua de mar hipertónica) + 1 cs de azúcar de rapadura o concentrado de manzana.

2. Para después de la competición

Zumos de manzana y zanahoria puros y naturales. La zanahoria tiene un alto poder antiinflamatorio natural y la manzana es una excelente recuperadora de minerales y azúcares naturales.

3. Para prevenir el cansancio y las agujetas

Infusión de té de tres años (2 cs por litro) con 1 cp de pasta de ciruela umeboshi por cada litro de té.

4. Para las agujetas

Una taza de té de tres años o de agua templada con 1 cp de concentrado de umeboshi.

Batido de proteínas

- 250 ml de bebida de almendra
- 20 g de proteína de altramuz, de cáñamo o de guisante
- 2 cs de aceite de coco
- ½ plátano maduro sin piel
- 1 cp de espirulina.

Elaboración:
Se colocan todos los ingredientes en un recipiente y se baten.

Batido energético

- 300 ml de bebida de arroz
- 3 cs de copos de avena suaves
- 2 fresas
- ½ plátano (sin piel)
- 2 dátiles (sin hueso)
- 1 cs de coco rallado.

Elaboración:
Se colocan todos los ingredientes en un recipiente y se baten.

Batido antioxidante
(recomendable para tomar después de la competición)

- 500 ml de agua
- 50 g de concentrado de manzana
- 50 g de melón
- 2 cs de arándanos
- Concentrado de granada.

Elaboración:
Se colocan todos los ingredientes en un recipiente y se baten.

9 Menús tipo

En la siguiente tabla encontrarás una guía para que puedas orientar el tipo de alimentación que realizas según el deporte que practiques.

En cada caso deberás ajustar las cantidades según tus características: edad, peso, tiempo de práctica deportiva, metabolismo basal, etc. Todo ello lo encontrarás en el capítulo 5 del libro

Tanto si realizas esfuerzos de resistencia, fuerza, o deportes en los que se combinen esfuerzos de ambos tipos, estos menús te pueden servir como referencia en cuanto a la elección de alimentos y distribución de las comidas. La diferencia residirá en cómo establezcas las cantidades y proporciones de estos alimentos. Recuerda que si lo que realizas son esfuerzos puros de resistencia los hidratos de carbono se necesitarán en mayor proporción que si haces básicamente actividades de fuerza. En este último caso no te olvides tampoco de los hidratos porque serán el motor que te hará levantar las cargas de trabajo, pero deberás comer más cantidad de proteína para reparar esas fibras musculares que has dañado mientras entrenabas.

Si necesitas un asesoramienta más personalizado y ajustado te recomiendo que acudas a un especialista que te ayude a regular bien tu alimentación.

En los cursos que realizo sobre Nutrición deportiva los alumnos aprenden a realizar estas tablas y menús para confeccionar las recomendaciones nutricionales a sus clientes o para ellos mismos.

		DÍA 1	DÍA 2	DÍA 3
DESAYUNO 8 h		Bocadillo vegetal	Gachas de avena	Galletas caseras
MEDIA MAÑANA	a)	Fruta	Frutos secos y fruta seca dulce	Zumo vegetal
	b)	Infusión	Infusión	Infusión
COMIDA 14 h		Ensalada de alubias	Arroz integral a la mediterránea con pescado	Hamburguesas de garbanzos con ensalada
MEDIA TARDE 16.30 h - 17 h	a)	Infusión	Infusión	Infusión
	b)	Barritas energéticas	Zumo vegetal	Muesli
DEPORTE				
CENA 20.30 h – 21 h		Pizza vegetal con huevo	Ensalada de brócoli con lentejas rojas	Crema de verduras con mijo y queso fresco

En la siguiente propuesta quiero agradecer a Elena Vidal, nutricionista muy comprometida con su trabajo, que me haya dejado publicar en este libro su gran trabajo final de curso.

DÍA 4	DÍA 5	DÍA 6	DÍA 7
Batido nutritivo	Gachas de trigo sarraceno	Bocadillo vegetal	Batido vegetal
Frutos secos y semillas	Fruta	Zumo vegetal	Muesli
Infusión	Infusión	Infusión	Infusión
Quinoa y espárragos verdes y tortilla	Cuscús de coliflor con azukis	Pasta de trigo sarraceno con ensalada de tomate y queso de cabra	Pasta integral de espelta a la salsa pesto y huevo duro
Infusión	Infusión	Infusión	Infusión
Muesli con yogur vegetal	Barritas energéticas	Fruta	Barritas energéticas
DEPORTE			
Crema de verduras y arroz con proteína de cáñamo	Verduras a la plancha con arroz integral y pechuga de pollo	Wok de verduras con atún	Ensalada de piña con lentejas rojas

AL LEVANTARSE. Hidratación y detox

Beber el zumo de un limón recién exprimido en una taza de agua tibia nada más levantarte es la mejor manera con la que podemos romper el ayuno a diario. A parte de hidratarnos, esta agua tibia con limón tiene un efecto alcalinizante, mejora la digestión, ayuda a reforzar el sistema inmune y realizar la detox matinal natural diaria.

DESAYUNO. Hidratante, ligero y nutritivo

De momento te propongo 5 desayunos bien diferentes que puedes ir probando para ver cuál te gusta más y con cuál te sientes mejor (digestión, comodidad al prepararlo, cuál te gusta más de sabor, textura, cuál te da más energía, etc.).

Todos los desayunos se pueden acompañar de un vaso de leche vegetal (preferiblemente de avena, almendra, arroz sin azúcares añadidos) + café de cereales o café.

Añade en todos los desayunos ***2 cucharaditas de semillas recién molidas***. Mezcla en un bote: semillas de lino, chía, pipas de calabaza, pipas de girasol, amapola, sésamo y polen. Si al desayuno no le va bien, consúmelas en la comida o cena.

RECETAS

Bocadillo vegetal

Pan integral (100-120 g) + aguacate + tomate + olivada o humus o tahín o paté vegetal + lechuga + queso de cabra u oveja (opcional). Más adelante te daré recetas para elaborar tu mismo los patés vegetales.

Gachas de avena

Ingredientes para 1 persona

- 80 g de copos de avena
- 1 o 2 peras o manzanas
- La piel de medio limón, 1 cp de pasas, 1 cp de canela, 1 cp de maca

- 1 vaso, de leche vegetal de avena o agua
- 2 cp de semillas recién molidas

Elaboración:

1. Lavar la fruta y rallarla.
2. Añadir la fruta rallada en una cacerola junto con los copos de avena, la piel de limón, la canela, las semillas y la leche vegetal mezclada con la cucharadita de maca o agua.
3. Dejar cocer a fuego bajo durante unos 10 minutos.
4. Servir, decorar con un poco más de canela y si se quiere se pueden añadir unos frutos secos.

Galletas caseras

Acompaña 3 o 4 galletas con mermelada y leche vegetal.

Ingredientes para 20 galletas aprox. (dependerá del tamaño)

- 100 g de aceite de coco
- 3 cp de sirope de arce (puedes usar miel, agave, azúcar integral, melazas de cereales...). Yo no suelo abusar de estos productos, pero si te gusta mucho el dulce puedes añadir un poco más, ¡¡sin pasarse!!
- 1 pizca de sal
- 2 cs de agua hirviendo o muy caliente
- ½ cucharadita de bicarbonato
- 1 cp de canela
- 1 taza de copos de avena
- ¾ taza de coco desecado
- 1 taza de harina integral
- ½ taza de frutos secos: nueces de macadamia o almendras.

Para darle diferentes sabores: trocitos de chocolate (80% de cacao), mermelada de moras, piel de naranja con pasas...

Elaboración:

1. Precalienta el horno a 150 °C.
2. En una cacerola pequeña a fuego lento, derrite el aceite de coco y el sirope de arce o tu elección, removiendo hasta que la mezcla comience a burbujear. Añadir una pizca de sal.
3. Combina el bicarbonato de sodio con las 2 cs de agua hirviendo y añádelo a la mezcla anterior.

4. Combina los ingredientes secos en un recipiente aparte: copos de avena, harina integral, coco deshidratado, frutos secos y/o chocolate a trocitos, o las pasas (la mermelada es el único alimento que no se mezcla, este se echa por encima de las galletas, los 4 últimos minutos de cocción). Vierte la mezcla derretida en los ingredientes secos y mezcla bien con las manos, hasta obtener una masa homogénea.
5. Con una cuchara o con las manos forma las galletas y colócalas en una bandeja lista para hornear, dejando espacios para que crezcan un poco.
6. Hornea durante 20 minutos o hasta que estén un poco doradas.
7. Deja que se enfríen en las bandejas antes de transferir a una rejilla. Se conservan perfectamente en un bote de cristal durante semanas.

Gachas de trigo sarraceno

Ingredientes:

- 60 g trigo sarraceno (grano)
- 1 manzana
- 1 cp de canela
- 1 taza de leche vegetal o agua
- 8 almendras.

Preparación:

1. Deja en remojo durante toda la noche el trigo sarraceno y las almendras. Por la mañana tira esa agua
2. En una batidora mezcla todos los ingredientes y listo.

Batido nutritivo

Ingredientes:

- 1 taza de leche vegetal
- 1 cp de cacao
- 1 cp de maca
- 1 cp de proteína de cáñamo
- 1 cucharadita de semillas
- 4 cs de copos de avena
- 1 plátano
- 1 puñadito pequeño de almendras, avellanas o nueces

Preparación:

Triturar todos los alimentos y listo.

Batido vegetal

Ingredientes:

- 2 puñados de hojas verdes (espinacas, acelgas, lechuga, col, rúcula, canónigos, berros...)
- 1 puñadito de germinados (alfalfa, col lombarda, brócoli...)
- 1 o 2 frutas de temporada que te gusten
- 3 cs de copos de avena
- 1 cp de canela
- 1 cp de semillas
- 1 cp de camu camu
- 2 cs de ***proteína de cáñamo*** (dos cucharadas tienen la misma cantidad de proteína que un huevo, pero son mucho más digeribles y aportan 6 g de proteína).

Preparación:

Triturar todos los alimentos y listo.

MEDIA MAÑANA Y MEDIA TARDE

Buen momento para tomar fruta, frutos secos, zumos vegetales. Una cosa por la mañana y otra por la tarde, puedes ir variando, no hace falta que siempre lo consumas a la misma hora, y tampoco todas las cosas juntas. Para acompañar los frutos secos (un puñado y siempre al natural, evitar tostados, salados o dulces) también puedes comer algún dátil, pasas, higos, orejones.

También puedes hacer otro cambio, si al levantarte no tienes demasiada hambre o tienes que entrenar al cabo de poco tiempo, puedes comer algo más ligero como la fruta o los tentempiés propuestos y más tarde la propuesta de desayunos.

Te propongo recetas caseras para estos momentos: en las dos primeras propuestas no debes consumir mucha cantidad, 1 puñado de muesli, 1 barrita pequeña, ya que estamos persiguiendo una pérdida de peso.

RECETAS

Muesli casero para dos tarros

Ingredientes secos:

- 250 g de copos de avena
- 125 g de copos variados: mijo, quinoa, trigo sarraceno, centeno...
- ½ taza de almendras
- ½ taza de nueces
- ½ taza de avellanas
- ½ taza de chips de chocolate
- ½ taza de semillas: lino, pipas de calabaza y de girasol, ½ taza de fruta seca dulce: higos y pasas.

Ingredientes húmedos:

- 3 o 4 cs de miel, o jarabe de manzana, arce, agave...,
- 4 cs de aceite de coco (fundido)
- 1 o 2 cs de manteca de cacao (fundido) (opcional, es para darle un sabor más intenso a cacao)
- 1 cp de canela o vainilla.

Preparación

1. Precalienta el horno a unos 175 °C.
2. En un bol grande, mezcla todos los ingredientes secos, excepto la fruta seca dulce y los chips de chocolate.
3. En una cacerola pequeña funde el aceite de coco y la manteca de cacao, añade el endulzante y prepara un mezcla homogénea con ellos, justo cuando ya esté listo añade la canela.
4. Rocía esta mezcla por encima de los ingredientes secos que has puesto en el bol, remueve bien para que todos ellos queden bien impregnados.
5. Cubre una bandeja para hornear con papel vegetal y echa por encima la mezcla que has preparado. Hornea durante unos 15 minutos, removiendo de vez en cuando para evitar que se quemen.
6. Deja que se enfríen y añade los chips de chocolate y las frutas secas dulces a trocitos pequeños. Si te gusta puedes añadirle un poco más de canela.
7. Guarda la granola o muesli en un tarro de vidrio. Se conserva perfectamente durante semanas, si es que no te lo has comido antes.

Barritas energéticas

Ingredientes

- 2 tazas de tortitas de trigo sarraceno (desmenuzadas)
- 1 cs de cacao en polvo
- 1 cs de datiles
- 8 cs melaza de cebada y maiz o miel de arroz
- 4 cs anacarnos y nueces
- Papel de horno

Preparación:

1. Tostar ligeramente los anacardos y las nueces en una sartén sin aceite.
2. Colocar las 2 tazas de tortitas de trigo sarraceno (desmenuzadas) y la melaza en una cazuela y calentarla (sin añadir agua) removiendo constantemente con una espátula de madera.
3. Apagar el fuego y añadir los demás ingredientes, mezclarlos muy bien hasta obtener una masa compacta y amalgamada por la melaza (si es preciso añadir más melaza).
4. Verter en un molde previamente pintado con aceite de oliva o de coco y aplanar bien con la espátula o con las manos húmedas. ¡No más de 2 cm de espesor!
5. Dejar que se enfríe. Cortar a la medida deseada cuando esté frío. Si es preciso utilizar un cuchillo de sierra humedecido con agua para que deslice bien sobre la masa y no se enganche.
6. Hacer la forma de las barritas con el papel de horno comprimiendo los ingredientes.

Zumos vegetales

Primera opción

- 3 puñados de hojas de col u hojas verdes (no abusar de las espinacas)
- 1 tronco de apio
- ½ pepino
- ½ limón
- 1 trozo de piña.

Segunda opción

- 6 zanahorias
- las hojas de la zanahoria
- 2 endivias
- ½ limón
- 1 manzana.

Tercera opción

- 1 remolacha
- las hojas de la remolacha
- ½ limón
- cerezas.

A estos zumos se les puede añadir 1 cucharadita de: maca, proteína de cáñamo o camu camu.

COMIDA. Vegetales y un alimento concentrado

El plato fuerte, proteico y nutritivo más importante (junto con el desayuno) debe tomarse en la comida del mediodía y no por la noche.

Alubias con verduras

Ingredientes:

- 100 g de alubias (peso aprox. en seco)
- vegetales crudos: lechuga, cebolla, tomate, pimiento rojo, rábanos, puedes incluir patata hervida al vapor.

Para el aliño: aceite de oliva, vinagre de manzana, cúrcuma y pimienta negra

Preparación:

Cuece las alubias, corta los vegetales en trozos pequeños, prepara el aliño y mézclalo todo.

Arroz integral a la mediterránea

Ingredientes:

- 100-120 g de arroz integral (peso aprox. en seco)
- vegetales salteados con un poco de aceite en la sartén (pimiento rojo, cebolla, calabacín y berenjena)

Para el aliño: hierbas provenzales, pimienta, aceite de oliva.

Preparación:
Cuece el arroz, cuélalo y añade los vegetales y el aliño.

2 o 3 hamburguesas de garbanzos

- 2 o 3 hamburguesas de garbanzos
- ensalada: lechuga o rúcula o endivia, ajo tierno, pimiento rojo, col lombarda, chucrut...

Ingredientes para 8 o 10 hamburguesas

- 400 g de garbanzos cocidos
- 1 cebolla blanca grande
- 2 dientes de ajo
- 100 g de copos de avena, también, se pueden usar copos de maíz
- 1 cp de sal.
- 1 cp de pimentón,
- 1 cp de comino
- 4-5 hojas de perejil o cilantro
- 2 cs de aceite de oliva virgen extra

Preparación:

1. Precalienta el horno a 200 °C.
2. En una picadora mezcla los garbanzos, el ajo, la cebolla y el perejil.
3. Retira la masa de la picadora y añade los copos de avena, dos cucharadas de aceite de oliva, la sal, el pimentón y el comino. Mezcla de nuevo con las manos hasta obtener una masa homogénea.
4. Deja reposar la masa durante unos 10-15 minutos.
5. Forma las hamburguesas y colócalas en una bandeja de horno.
6. Hornear durante 8-10 minutos o hasta que estén tostadas.

Ensalada de quinoa y espárragos verdes

Ingredientes:

- 100 g de quinoa
- 4 espárragos verdes
- 1 shiitake
- 2 ajos tiernos (salteados en la sartén con aceite de oliva y una cucharada de salsa tamari)

- verduras crudas (col, zanahoria, cebolla) cortada muy finamente.

Para el aliño: aceite de oliva y vinagre de manzana, 1 cp de miel, 1 cp de mostaza.

Preparación:

Cuece la quinoa y añade los espárragos, los ajos tiernos, el shiitake y las verduras. Prepara el aliño y añádelo.

Cuscús de coliflor con azukis

Ingredientes:

- 100 g de azukis (peso aprox. en seco)
- cuscús de coliflor (triturar ½ coliflor hasta obtener textura de cuscús)
- col lombarda
- rúcula
- rabanitos

Para el aliño: comino, jengibre, cúrcuma, pimienta, salsa tamari, aceite de oliva.

Preparación:

Cuece los azukis, añade el cuscús de colíflor, la lombarda, la rúcula y los rabanitos. Prepara el aliño y mézclalo todo.

Pasta integral al pesto

Ingredientes:

- 120-150g de pasta integral de espelta
- salsa pesto:
  - 1 taza de albahaca fresca, 10 avellanas tostadas, sal, pimienta, queso (opcional), 1 diente de ajo, tomates cherry y espinacas crudas

Preparación:

Cuece la pasta, escúrrela y mezcla con la salsa pesto. Cuando la sirvas añádele los tomates cherry y la espinacas crudas.

CENAS

Pizza vegetal

Ingredientes:

- 2 rebanadas grandes de pan integral
- verduras cortadas finamente (tomate, cebolla, ajo, calabacín, champiñones)

Preparación:

Pon las verduras encima de las rebanadas de pan, puedes poner un poco de queso (opcional) y hornéalo.

Ensalada de brócoli con lentejas rojas

Ingredientes:

- ½ brócoli (crudo)
- escarola
- rúcula
- zanahoria o remolacha
- apio
- rabanitos
- cebolla
- ½ aguacate
- ½ manzana
- germinados
- 80 g de lentejas rojas cocidas.

Preparación:

Limpia y corta las verduras y mézclalas con las lentejas rojas cocidas. Alíñalo a tu gusto.

Crema de verduras con mijo

Ingredientes:

- 1 cebolla
- 1 calabacín
- 1 puñado grande de espinacas o acelgas
- 1 tronco de apio
- ½ nabo
- 3 cs de mijo.

Preparación:

1. Echar en una olla todas la verduras, saltearlas durante 5-8 minutos y cubrir con caldo vegetal.
2. Hervir durante 15 minutos.
3. Triturar hasta obtener textura de puré.

Acompañar la crema con 1 cucharada de ***levadura nutricional*** (una forma de levadura inactivada cargada de proteínas, fibra y vitaminas del grupo B, 1 cucharada aporta de 3 a 5 g de proteína).

Alternativa: Ensalada de patata con alcachofa

Hierve 2 patatas, déjalas enfriar en la nevera, luego córtalas a trozos y colócalas en una ensaladera junto con:

- lechuga
- cebolla
- tirabeques
- 1 alcachofa (cruda, cortada muy fina y eliminando las hojas más duras)
- 5 o 6 aceitunas negras

Aliñar con aceite de oliva, pimienta negra, hierbas provenzales y cúrcuma.

Crema de verduras con cáñamo

Ingredientes:

- ½ calabaza
- ½ puerro
- ½ nabo
- 1 cebolla
- 1 zanahoria

Preparación:
Echar en una olla todas las verduras, saltearlas durante 5-8 minutos y cubrir con caldo vegetal. Hervir durante 15 minutos. Triturar junto a 2 cucharadas de proteína de cáñamo.

Verduras a la plancha con arroz integral

Ingredientes:
Cocina a la plancha (5-8 minutos):

- 1 cebolla
- 1 pimiento verde
- ½ pimiento rojo
- ½ berenjena
- 80 g de arroz integral cocido

Para el aliño: aceite de oliva, pimentón rojo y orégano.

Preparación:
Cocina a la plancha las verduras, (5-8 minutos y mézclalas con el arroz e incorpora el aliño.

Ensalada con lentejas rojas

Ingredientes:

- espinacas frescas
- escarola
- daikon o rabanitos
- espárragos
- ½ aguacate
- 2 cs de chucrut
- tomates cherry
- germinados
- 80 g de lenteja roja cocida

Para el aliño: mostaza, vinagre de manzana, miel, aceite de lino, semillas de amapola.

Preparación:
Corta las verduras y mezclalas con las lentejas cocidas e incorpora el aliño.

Ensalada de piña

Ingredientes:

- rúcula
- canónigos
- lechuga
- cebolla
- 1 trozo grande de piña
- 3 o 4 cs de quinoa cocida o un poco de pan integral.

Preparación:
Prepara la ensalada mezclando todos los ingredientes y añade la quinoa cocida o el pan integral.

Caldo vegetal

Para añadir a las cremas de verduras.

Ingredientes:

- 4 setas shiitake
- 1 tira de alga kombu
- 2 cebollas
- 4 zanahorias

- 4 tiras de apio con sus hojas
- 2 tazas de verdura verde: col, espinacas, acelgas...
- 3 cm de jengibre en rodajas
- ½ manojo de perejil
- 2 ajos pelados.
- 30 g de daikon seco (opcional)
- ½ calabaza.

Preparación

1. Poner todos los ingredientes en una olla grande y cubrir con agua (sin sal ni aceite).
2. Llevar a hervor, bajar la llama y cocinar durante 1 a 1,5 horas.
3. Dejar enfriar, colar y guardar en el frigorífico.

A TENER CUENTA:

1. El ***veganismo*** se basa en una dieta de alimentos de origen vegetal, destacando el consumo de hortalizas, legumbres, frutos secos, cereales integrales y semillas. Esto puede provocar más ***gases e hinchazón*** al principio.

   Consejos para evitarlos:

   - remojo de las legumbres con un trozo de alga kombu + cocción larga
   - especias: comino, hinojo, laurel
   - caminar después de las comidas
   - masticar muy bien los alimentos.

2. En una dieta vegana o vegetariana es muy importante consumir los **alimentos**:

   - ***naturales***
   - **de temporada**
   - **de proximidad**
   - ***y siempre que se pueda ecológicos.***

   No se debe caer en la tentación de comprar alimentos precocinados, manipulados, refinados y procesados, ya que entonces no podremos conseguir los beneficios de una dieta vegetariana.

3. Prevenir el déficit de ***vitamina B12***, en el mundo vegetal no se encuentra o en muy pocas cantidades por lo que se recomienda tomar alimentos enriquecidos con B12 o bien suplementación 1.000 mg 2-3 veces a la semana o 25-100 mg diariamente (mejor complemento cianocobalamina).

4. Asegurarse una correcta aportación de ***hierro:***
   - incluir legumbres y vegetales en las comidas principales. Evitar tomar en estas té, o café o lácteos, para que no interfieran en su absorción
   - tomar alimentos ricos en vitamina C en las comidas para mejorar su absorción
   - remojar, cocer, germinar y/o fermentar las legumbres y cereales
   - remojar o tostar los frutos secos.

5. Asegurar una correcta relación de la ingesta de ácidos ***grasos omega 3 – omega 6***
   - reducir la cantidad de alimentos ricos en ácidos grasos omega 6 bajos: sobre todo carnes, embutidos, bollerías y aceites vegetales industriales
   - y aumentar los ácidos grasos omega 3 cada día. 3 o 4 nueces, semillas de lino o de chía (trituradas), aceite de lino.

6. Asegurar aportación de ***vitamina D***, exposición solar durante 10-15 minutos al día.

7. Procurar mantener una ***Hidratación*** correcta.

Para beber durante los esfuerzos muy prolongados

a. 500 ml de agua + 500 ml de zumo de manzana + 1 cp de sal del Himalaya (o 10 ml de agua de Mar hipertónica).
b. 1litro de agua + zumo de medio limón + 60 ml de zumo de naranja+ 1 cp de sal integral o del Himalaya (o 10 ml de agua de Mar hipertónica) + 1 cs de azúcar de rapadura o concentrado de manzana.

En entrenos o pruebas que no superen las 2 horas, o que no excedan de 1 hora con intensidades elevadas, basta beber agua para reponer el balance electrolítico excepto si hay problemas de sudoración excesiva. La ingesta abundante de sales rompería el equilibrio y perjudicaría el rendimiento.

Para después de la competición

Zumos de manzana y zanahoria puros.

Batido de proteínas

- 250 ml de bebida de almendra
- 20 g de proteína de altramuz, de cáñamo o de guisante
- 2 cs de aceite de coco
- 1/2 plátano maduro (sin piel)
- 1cp de espirulina.

Batido energético

Se puede tomar antes y después del entreno.

- 300 bebida de arroz
- 3 cs de copos de avena suaves
- 1/2 plátano (sin piel)
- 2 dátiles (sin hueso)
- 1 cs de coco rallado

Batido antioxidantes

- 500 ml de agua
- 50 g de concentrado de manzana
- 50 g de melón
- 2 cs de arándanos
- 1 cp de açai

Para prevenir el cansancio y las agujetas

Infusión de té de tres años (2 cs por litro) con 1 cp de pasta de ciruela umeboshi por cada litro de té.

Bibliografía

ARAGA GIL, M. (2005). *Manual de Nutrición Deportiva*. Badalona: Edición Paidotribo.

BARRIONUEVO E. y MORENO D. (2016). *Recetas líquidas saludables*. Barcelona: Editorial Amat.

BROOKS, D. (2001). *Libro del Personal Trainer*. Barcelona: Edición Paidotribo.

CAMPILLO ÁLVAREZ, J.E. (2007). *El mono obeso*. Barcelona: Edición Crítica.

— (2012). *El mono estresado*. Barcelona: Edición Crítica.

— (2015). *Razones para correr: un poderoso remedio para la salud*. Barcelona: Ediciones B.

CARPER, J. (2013). *Los alimentos. Medicina milagrosa*. Barcelona: Editorial Amat.

CLARK, N. (2010). *La guía de Nutrición Deportiva de Nancy Clark*. Badalona: Edición Paidotribo

COOPER, Kennet H. MD. (1998). *Antioxidant Revolution*. Nashville: Thomas Nelson Publisher.

CUEVAS FERNÁNDEZ, O. (1999). *El equilibrio a través de la alimentación: sentido común, ciencia y filosofía oriental*. León: Edición Autor-Editor.

DELECROIX, J.M. (2016). *Los 170 alimentos que cuidan de ti*. Barcelona: Editorial Amat.

HERBERT, M. (2016). *La alimentación que te fortalece durante la quimio*. Barcelona: Editorial Amat.

JUREK, S. y FRIEDMAN, S. (2014). *Razones para correr: un poderoso remedio para la salud*. Barcelona: Edición Temas de Hoy.

MATVEIKOVA, I. (2011). *Inteligencia Digestiva*. Madrid: La esfera de los libros.

Men's Healt (2014). *El gran libro de la nutrición*. Barcelona: Editorial Amat.

ROGÉ, V. y ULLÁN, N. *Dietox. Resetea tu cuerpo*. Barcelona: Editorial Amat

SUHR, L. (2016). *Mix it. Deliciosas recetas veganas preparadas con la batidora*. Barcelona: Editorial Amat.

VERGÉS, M. (2016). *PaleoDieta para deportistas*. Barcelona: Editorial Amat.